Avertissement de l'éditeur

Les recettes proposées dans cet ouvrage fournissent des indications d'âge « recommandé » à partir de 6 mois, soit 5 mois révolus. Nous rappelons que l'introduction de nouveaux aliments dans les repas d'un bébé doit se faire sous le contrôle du pédiatre qui saura adapter la diversification alimentaire à chaque enfant et tenir compte des éventuels risques d'allergies.

L'auteur et l'éditeur ne sauraient être tenus pour responsable si un avis pédiatrique n'a pas été pris avant l'insertion d'un nouvel ingrédient dans le régime de l'enfant. Ne jamais oublier que la première règle est la prudence, et qu'un bébé est rarement en retard dans sa diversification alimentaire.

babycook book

85 recettes de papa-chef   nouvelle édition

LES ÉDITIONS
Culinaires

PRÉFACE
Que du bonheur !

Je suis cuisinier. J'écris ce livre pour mes enfants Alphonse et Charlotte, et tous les autres, mais aussi pour les jeunes mamans qui ont l'envie, ou le même souci que moi de donner à son enfant le meilleur des fruits, des légumes et des produits qui font la vitalité de nos marchés, en même temps que le goût des saveurs nouvelles.

Le Babycook sert à préparer l'après « tout-lait » à l'âge de 6 mois. Avec des produits frais, qui gardent le maximum de leurs vitamines, minéraux et oligo-éléments grâce à la cuisson à la vapeur. Mais, avec le temps, et surtout devant la richesse de couleurs et d'odeurs du marché, j'ai voulu sortir du cercle des purées et compotes classiques. Partager avec Alphonse et Charlotte le plaisir de préparer et de goûter des « petits plats » vite faits, bien faits pour qu'ils restent un plaisir de tous les jours. Oui mais quel produit choisir et pourquoi, comment le cuisiner et non plus seulement le cuire, pour qu'il ne soit que du bonheur ?

J'ai créé ces recettes comme je pense ma carte de restaurant avec les bons produits du marché disponibles selon les saisons. Chaque recette dégage la saveur d'un produit, soutenue parfois par une herbe, un aromate, une épice, ou mise en valeur par une alliance particulière.

Quand un légume est le thème d'une recette (j'adore les légumes !), je l'ai décliné en jouant sur « le cru et le cuit », « le croquant et le fondant », selon les principes d'Alain Ducasse, pour le faire découvrir à l'enfant sous ses divers aspects chaque fois que c'était possible. Avec des présentations ludiques, pour aiguiser sa curiosité et lui donner la tentation de picorer dans son assiette ou d'y tremper le doigt…

Comme de bien entendu, cette découverte doit être progressive : j'ai étudié mes recettes Babycook Book pour qu'elles soient évolutives, en respectant les principes de sagesse en nutrition, et en donnant des indications pour que les mamans puissent les adapter au développement de leur enfant, selon le rythme de chacun. Sur chaque recette, il est donc indiqué à partir de quel âge minimum elle est recommandée. Cet âge est donné à titre indicatif et doit bien sûr être vérifié avec le pédiatre.

Le goût des préparations va s'enrichir et s'affiner au fur et à mesure que l'on pourra donner au bébé des éléments qui nous sont précieux en cuisine : un oignon nouveau ajouté aux légumes dans le cuiseur-vapeur, de jeunes pousses d'épinards crus intégrées au mixage pour relever la couleur d'un plat, un léger filet d'huile d'olive ou du persil frais « concassé » fin sur le dessus de l'assiette, quelques grains de fleur de sel en décor à goûter…

Leur consistance, elle, va se modifier au mixage. Selon le nombre et la longueur des impulsions données… qui dépendent aussi de la fermeté du produit : cerise ou févette, la technique ne sera pas la même ! Selon, aussi, la quantité de jus de cuisson, d'eau, de lait ou de crème fraîche ajoutée aux ingrédients entre chaque impulsion… On commence par un velouté ou une soupe assez fluide pour être bu(e) au biberon ; on continue avec une purée lisse pour les débuts à la cuillère ; puis avec une purée à consistance « caviar » quand le bébé s'exerce à mâcher ; enfin, avec une purée à petits morceaux quand les dents sont là.

Le premier chapitre est un avant-goût de l'ensemble. Il est consacré aux premières expériences : l'approche et la maîtrise du Babycook ; l'apprentissage de la maman en cuisine du « repas » de bébé ; et les appréciations du bébé.

Toutes les recettes du Babycook Book sont présentées avec leurs bons points (selon le cuisinier et le nutritionniste), selon mes conseils.

Aux mamans ensuite de prendre le relais, et de mettre leur imagination à l'œuvre. Parce que diversité culinaire et diversification alimentaire vont très bien ensemble…

David Rathgeber
Papa-chef du Babycook Book

SOMMAIRE

LITTLE BABY
first meals
des idées pour tout-petits p.24

Lait de rougette	26
Velouté de cresson	28
Soupe de carottes	30
Ainsi fond, fond, fond les artichauts	31
Velouté de potiron	32
Purée de betterave	34
Compotes des petits potes :	36
Poire-fraises	40
Pommes-cannelle	41
Pêches-poire	38
Banane-fraise	39

BABY EVERY DAY

vite fait-bien fait... tous les jours

p.42

Potatoeshow :   44

Pomme de terre écrasée montée à l'huile   44

Potage Parmentier   46

Crème vichyssoise   47

Pétales de cabillaud et
courgette écrasée à la fourchette   48

Pétales de cabillaud et miettes de brocoli   50

Purée de pois chiches au romarin   51

Petit blanc de volaille fermière et brocoli   52

Crème de volaille   54

Purée de petits Paris   55

Mousse d'avocat et crevettes   56

Faisselle aux herbes   58

Pasta del papa :   60

Jambon blanc, comté, jus de rôti   60

Tomate et chèvre   62

Sauce au pistou   63

Nids de tagliatelles, épinards, mozzarella   64

SUNNY DAYS
repas de printemps ou d'été

p.66

Caviar d'aubergine	68
Fondue de tomate à notre façon	69
Tomate sur tomate	70
Soupe et billes de melon	72
Purée de petits pois et leurs cosses	74
Purée de haricots verts au serpolet	76
Velouté de printemps	77
Asperges vertes en fin velouté	78
Caponata - œuf mollet	80
Œuf de caille à la basquaise	82
Œuf à la coque et pois gourmands	84
Gaspacho andalou	86
Flan de courgette	88
Artichaut feuille à feuille	90
Les 4 saisons des purées et des cocottes	92

BABY COLD DAY
repas... d'automne et d'hiver

p. 98

Velouté de lentilles et jambon séché	100
Purée de céleri et dés de jambon à l'os	102
Soupe de cocos	103
Chou-fleur dans tous ses états	104
Velouté de févettes	106
Crème d'épinards	107
Nuage et plumes d'endive	108
Petit pavé de bœuf et pommes coin de rue	110
Des goûts venus d'ailleurs :	112
Special Pytt-i-Panna	112
Roulé-boulé de viande à la suédoise	114
Petit couscous de légumes	116
Kefta d'agneau	118

BABY HAPPY DAYS
repas de fêtes...   p.120

Coquilles Saint-Jacques en tartare	122
Bœuf Strogonoff	124
Bar au fenouil	126
Quenelles de poisson blanc, sauce champignons	128
Craquelins de veau aux petits Paris	130
Socca niçoise	132
Dinde en beurrée de choux	134
Gratin de potiron au jambon	135
Gnocchi à la ricotta	136
Rouelles de sole aux épinards	138
Blettes à la crème en gratin	140
Saumon au vert de blettes façwon brandade	142

SWEETS FOR BABY
dessert, goûter, brunch, petit en-cas   p.144

Yaourt-shakes à la carte (5)	146
Langues de chat	152
Douceur de banane au miel	154
Granité de cerises	155
Granité de pastèque	156
Crumble fraises-rhubarbe	158
Fromage blanc aux noix	160
Madeleines	162
Compote de coing	164
Compote de pêches à la vanille	165
Petits gâteaux suédois à la cannelle	166
Cookies au chocolat	168
Mangue en hérisson et marmelade	170
Clafoutis aux cerises	172
Crêpes de la Chandeleur	174
Pancakes à la fleur d'oranger	176

AUTOUR DU REPAS

Nous y voilà. Le tout-petit a 5 mois. Il va commencer son exploration du vaste monde par l'essentiel : le goût des choses de la vie. Et la vie, pour l'heure, à part le nid des bras de Maman et les chatouilles de Papa, c'est le contenu du biberon. Les céréales, les premières compotes, les potages, vont être l'occasion d'essayer la becquée. Et de préparer le passage du coeur-à-coeur au face-à-face, pour ce dialogue tendresse que sera le repas.

Nouveau-né, il savait téter. Et reconnaître le sucré, le salé, l'acide et l'amer. Il est temps qu'il affine ces sensations-là… et qu'il manifeste son avis sur ses découvertes avec les mimiques à sa disposition. S'il n'aime pas ? On n'insiste pas ; on fera un autre essai quelques jours plus tard ; puis un autre... Et s'il refuse encore, c'est qu'il aura de la personnalité : ses goûts s'affirment !

Maintenant, c'est un grand bébé : il palpe son biberon, prend et suce tout ce qu'il attrape. Vers 6 mois, il va savoir ouvrir le bec devant la cuillère sans la repousser avec la langue ; et vers 7 mois, boire à « sa » tasse. Bientôt, il va sourire de ses toutes premières dents. Et vers 8 mois, il va passer de son transat à la chaise haute pour mieux dominer la situation à l'heure où Maman, avec son Babycook, annonce un moment très attendu…

… et « on » n'aime guère attendre quand l'estomac crie famine !

C'est le bon moment pour lui donner à goûter une nouveauté « salée » (pas salées du tout d'ailleurs, ou si peu avant 1 an, et à peine après !). Ou une texture inattendue, puisqu'elle est de moins en moins mixée jusqu'aux mini-morceaux qui fêteront ses molaires, entre 12 et 18 mois.

Maman, qui sait ce que l'on aime, a mis « le couvert du bébé », en sortant l'assiette à dessins qu'il découvre peu à peu, avec ravissement, à chaque cuillerée de cette drôle de purée d'un goût inconnu. Ce ne serait pas ce que, la semaine d'avant, Maman lui avait fait goûter sur une pointe de cuillère - pour voir s'il l'aimait ? Ou s'il aurait une réaction allergique ? Un peu des deux, on dirait.

Souvent, elle fait un joli décor avec la purée. Il y met les doigts (elle les lave toujours avant), y pioche des petits morceaux, elle rit : « ce n'est pas grave : le bavoir à manches est mis », elle raconte des histoires sur ce qu'il y a dans l'assiette, il fait ses commentaires, qu'elle fait semblant de comprendre. C'est le dialogue.

C'est vrai que ce n'est pas la peine d'apporter des jouets à table : ils distrairaient l'attention. Ce serait dommage ! D'ailleurs, on arrive vite au bout de l'assiette, sans être obligé de la finir : elle calcule juste ses portions, Maman. Et si on a encore faim, elle trouvera bien un petit bout de fromage par là…

Le plus gai, c'est l'heure du marché, presque tous les jours, « pour ne manger que du frais », dit Maman. On regarde de tous ses yeux les monceaux de couleurs ; on respire les odeurs, on goûte les choses que les marchands donnent, au bébé et à sa Maman (à Papa aussi, le dimanche) quand elle leur demande un avis. Parce que Maman ne veut que des « légumes de saison tout jeunes » des « fruits bien mûrs » ; des « oeufs extra-frais » des « poissons archi-frais » en demandant au poissonnier de lui « lever les filets » et de la « viande tendre » qu'elle fait hacher devant elle par le boucher…

On ne flâne pas pour rentrer. Il faut vite mettre les achats au frais, et « ne pas casser la chaîne du froid ». Maman range directement les surgelés au congélateur, à côté de ses petits plats pour bébé qu'elle a congelés (en portions) quand elle les a cuits d'avance parce qu'il les aime très fort ou que le légume était très gros (un potiron, par exemple !) et que toute la famille allait en profiter.

Puis elle met sous film ce qu'elle place dans le réfrigérateur « pour que leurs odeurs ne se mélangent pas ». Enfin, elle dispose les fruits, les melons, etc. dans des corbeilles sur la table sans qu'ils se touchent (jamais au froid quand ils contiennent de l'eau, pour ne pas « casser » leur parfum, dit-elle). Ils n'auront pas le temps de s'abîmer : on les aura mangés avant après-demain.

Mais c'est quand Maman prépare le dîner du bébé (à la dernière minute), qu'on est le plus attentif : elle sort « son » Babycook et « son » Babycook Book (ils sont toujours ensemble, ces deux-là).

Et on en a l'eau à la bouche…

LE MARCHÉ du papa-chef

Abricot.
Un fruit couleur soleil (carotènes) à chair sucrée (glucides) et fibres douces (facilitant le transit alimentaire), riche en potassium, apprécié dès 5/6 mois. Mais qui ne mûrit plus une fois cueilli.

Agneau.
Une viande tendre (protéines, vitamines B, phosphore, et surtout du fer !), qui convient dès 8 mois.

Ail.
Grande richesse nutritionnelle. Action anti-microbes, anti-oxydants, anti-allergies. L'ail nouveau, sans germe, est digeste.

Amandes.
Râpées : après 3 ans. Entières : après 4 ans. Pour éviter toute « fausse-route ». Même si elles sont riches en lipides, protéines, minéraux (calcium, magnésium…), oligoéléments (manganèse), vitamines (E, B9) et fibres.

Ananas.
Un des fruits les mieux dotés en vitamines, stimule la digestion grâce à une enzyme, la broméline. À choisir frais toute l'année, avec les feuilles bien vertes, plus l'étiquette « voyage avion » qui garantit son transfert rapide depuis les Tropiques. Et à servir bien mixé à partir de 8 mois.

Aneth.
Plante à tiges creuses, stimulante, antiseptique, diurétique, et anti-inflammatoire.

Artichaut.
Bien pourvu en minéraux, en vitamines et en molécules antioxydantes, l'artichaut contient parmi ses glucides de l'insuline, qui aide à l'assimilation des minéraux et à l'équilibre de la flore intestinale vers 6 mois.

Asperge.

À l'action diurétique. Avec une profusion de vitamines (C, B9, carotènes) et minéraux. Poussée à l'air et la lumière, l'asperge verte a plus de goût que la blanche. De mi-février à fin juin sur les marchés, se conserve crue, en botte, 4 jours au réfrigérateur, dans un linge humide ou un papier journal, pointe en l'air. À partir d'1 an.

Aubergine.

Cette cousine de la tomate contient du potassium, des carotènes et des fibres. À choisir la peau lisse, tendue, très brillante, et le pédoncule vert et frais. Pour les plus de 1 an.

Avocat.

Pas de saison : il arrive d'Israël, de Floride, d'Amérique du Sud. Le choisir « à point », quand il cède à une légère pression du doigt, et le laisser mûrir quelques jours à température ambiante. Seul légume à lipides, l'un des plus riches en potassium, c'est surtout un précieux cocktail d'acides gras essentiels et de vitamine E… À ne donner qu'après 1 an, quand le système digestif peut assimiler cette abondance. Le préparer au dernier moment, en passant du jus de citron sur sa chair, pour lui éviter de noircir à l'air.

Banane.

D'autant plus sucrée (et nourrissante) qu'elle est jaune et tigrée. La laisser mûrir à l'air libre : cultivée aux Antilles, elle n'aime pas le froid. Elle est bien pourvue en potassium et magnésium, vitamines B, amidon et fibres douces, tolérées par l'intestin dès 5 à 6 mois.

Bar.

Pêché en Bretagne, le bar devient loup en Méditerranée. Poisson maigre, riche en protéines, iode et fluor. Dès 7 mois.

Basilic.

Aromate à branches tendres et feuilles douces, toujours utilisé frais, base du pistou de Provence.

Betterave.

Bien aimée cuite car très sucrée (saccharose), peut aussi s'apprécier crue par les plus de 1 an.

Blette ou bette.

Pousse toute seule dans nos potagers, toute bonne à manger : côte blanche et feuille verte. Un légume à fibres douces, d'une richesse méconnue : carotènes et vitamine C dans la feuille ; potassium, calcium et fer. À donner aux 10 mois.

Bœuf.

En bifteck à partir de 8 mois, pour sa richesse en protéines, fer, zinc, vitamines B1 et B2. À faire hacher devant soi par le boucher, et à donner à l'enfant dans les 3 heures.

Brocoli.

N°1 des légumes en vitamine C et calcium, conseillé dès 5 à 6 mois. Se choisit avec les boutons fins et serrés, de mai à novembre sur les étals, venu de Bretagne ou de Normandie. Il est léger, digeste et a la fibre douce.

Cabillaud.

Le plus maigre des poissons, et l'un des plus riches en potassium. Fine et ferme, sa chair s'effeuille en « pétales » après la cuisson. Convient dès 7 mois.

Cannelle.

Épice douce pour les plus de 1 an. Stimulante et antiseptique, serait bénéfique dans les douleurs digestives.

Carotte.

Cuite, se donne dès 5/6 mois, si elle est « bio » ou du jardin (pour éviter le risque de trop de nitrates dans l'eau de cuisson). Crue (râpée), pas avant 2 ans. Vendue en botte, « primeur » de fin avril à fin juillet, « de saison » jusqu'à mi-décembre, la carotte nouvelle s'achète craquante, colorée, les fanes vertes et fraîches ; et se conserve quelques jours au réfrigérateur, sans perdre sa teneur en carotènes, et en fibres qui régulent le transit intestinal.

Cassis.

En compétition avec le kiwi pour la vitamine C et le calcium, précieux dès 1 an.

Céleri.

Riche en cellulose, qu'il soit céleri-rave ou céleri en branche, se donne vers 10 mois.

Cerfeuil.

Carotènes, vitamines C et K, calcium et potassium : à prendre tôt en considération mais toujours blanchi.

Cerise.

Avec son fructose, plus sa vitamine C, ses minéraux, oligoéléments et fibres douces, elle est bien venue en compote à partir de 1 an (mais pas avant 4 ans avec son noyau !). Fragile, s'abîme vite à l'air libre (mais contient trop d'eau pour être gardée au réfrigérateur). Se choisit donc pas trop mûre mais bien colorée, queue verte, peau brillante et chair ferme ; et se mange dans les 48 heures suivant sa cueillette.

Champignons de Paris.

Fort riches en sels minéraux (potassium !) et oligoéléments, vitamines B, D et K.

À choisir jeunes, blancs sans lamelles sombres, pour les plus de 1 an. On attend 18 mois pour les champignons asiatiques.

Châtaigne et marron.

sont tous deux fruits du châtaignier (la bogue de la châtaigne contient plusieurs fruits, pas celle du marron). Riches en glucides à donner à partir de 18 mois.

Chocolat.

Tonifiant (fer), énergétique (calories), renforce défenses immunitaires et équilibre nerveux (magnésium, potassium), après 18 mois.

Chou.

Présent toute l'année, précieux l'hiver pour sa richesse bien connue en vitamine C. Mais attention à sa teneur en fibres et en soufre : attendre 18 mois pour que l'enfant puisse bien le digérer.

Chou-fleur.

Tendre, bien dosé en micronutriments et en fibres (cellulose). À partir de 18 mois.

Ciboulette.

Herbe bien pourvue en vitamine C, calcium et magnésium. À goûter vers 1 an.

Citron.

Vitamine C et calcium. Son jus empêche l'oxydation de la chair de l'avocat, des champignons, de la pomme… Quelques gouttes dans une compote, de temps en temps, pour habituer à l'acidité.

Coing.

Sa pectine lui donne les mêmes qualités que la carotte dans les troubles intestinaux, mais en recettes sucrées (et cuites). Pas avant 8/10 mois.

Concombre.

Cousin des courgettes, cornichons et melons. Riche en eau, donc désaltérant et diurétique. Source de minéraux et vitamines (dont toutes les vitamines B). Le choisir petit, d'un vert foncé uniforme, la peau lisse et bien tendue : il aura peu de pépins et ses fibres seront mieux tolérées cuit : après 8 mois. Cru à partir de 2 ans.

Coquilles Saint-Jacques.

Protéines, vitamine C, phosphore, iode et zinc. Après 18 mois.

Coriandre.

Épice citronnée en branches (fraîche), en baies ou en poudre.

Courgette.

Sur les marchés de Provence de mai à octobre. Se choisit jeune, fine, longue, ferme et lisse ; d'une couleur uniforme, vert sombre. Elle se consomme dans les 48 heures, car elle se déshydrate vite. Digeste et légère, avec des fibres douces, une bonne répartition de vitamines et de minéraux, convient au bébé dès 5/6 mois.

Cresson.

Reminéralisant et tonifiant ! Presqu'à égalité avec le persil en calcium et en vitamine C, c'est l'un des légumes les plus dotés en minéraux et vitamines (B9, carotènes). Convient vers 6 mois s'il provient d'une cressonnière, alimentée en eau de source. Mais pas de cresson sauvage, surtout pour un bébé !

Crevettes et autres crustacés.

Des protéines, de l'iode, du zinc. Et de la vitamine C ! À acheter cuites (sauf à l'arrivée de la marée), fermes et l'odeur fraîche. À réserver aux plus de 2 ans.

Dinde.

Protéines, phosphore, potassium, magnésium, fer… Ce « poulet d'Inde » découvert par Christophe Colomb en Amérique du Nord, se donne désormais au bébé dès 7 mois, en escalope levée dans la « rouge des Ardennes » ou la « noire » du Gers, de préférence.

Échalote.

La « rose de Jersey » est la plus douce en goût. « Nouvelle » en juillet, se choisit durant l'année bien ferme et bien serrée dans ses pelures. Pas avant 14/15 mois.

Endive.

Très digeste, crue ou cuite, avec des fibres douces, bien tolérées dès 1 an. Riche en eau, minéraux (potassium, calcium), oligoéléments (sélénium), et vitamine B9. Parmi les meilleures : la Perle du Nord.

Épinards.

Connus pour leur teneur en fer et l'efficacité de leurs fibres, mais pourvus aussi en sels minéraux (potassium, calcium et magnésium), oligoéléments (fluor) et vitamines (C, K, B9). On peut les donner dès 5-6 mois s'ils sont du jardin ou « bios » ; sinon, attendre l'âge de 12 mois, car il risque d'y avoir trop de nitrates dans leur eau de cuisson… Ils peuvent s'acheter frais toute l'année (mais supportent mal les chaleurs d'été) ; se choisissent jeunes, les feuilles fraîches, tendres, luisantes, d'un vert profond ; se conservent crus, lavés, au réfrigérateur, dans un torchon ; mais se consomment dès qu'ils sont cuits.

Estragon.

Aromate aux feuilles minces, dont le léger goût d'anis supporte la cuisson.

Faisselle.

Version actuelle du lait caillé d'autrefois, avec toutes ses richesses : protéines ; calcium surtout, et phosphore son compère ; magnésium ; vitamines D et A, plus un lot de vitamines B, et les acides aminés au complet… À partir de 1 an.

Fenouil, ou aneth doux.

Ce légume-feuilles méditerranéen au goût d'anis est l'un des végétaux frais les plus riches en eau et sodium, avec un bel apport en vitamines (C surtout, A et B9) à partir de 12 mois.

Févettes.

Riches en protéines, glucides et fibres, denses en fer et cuivre (dont a besoin le foie pour exploiter le fer). Enlever la peau sous la cosse pour qu'une fois cuites, elles soient tendres et digestes. À partir de 14/15 mois.

Figue.

Riche en calcium et fibres (pectine), se choisit souple, la tige ferme. Après 3 ans.

Fraise.

De Plougastel ou gariguette du Midi, se choisit mûre, sans trace de meurtrissure ; et se consomme vite, sans passage au réfrigérateur et sans contact avec d'autres fruits. Sucrée (fructose), équilibrée en vitamines (C, carotènes) et minéraux, elle contient de l'acide salicylique (l'aspirine, oui !) d'où les vertus médicinales qu'on lui attribue. Mais elle libère aussi de l'histamine d'où les risques d'allergies. À glisser donc petit à petit dans les menus du bébé à partir de 1 an.

Fraise des bois.

Mignonnette, reine des vallées, mara ou délice, elle est fragile. À choisir pas trop mûre, ni abîmée ni humide. Et à manger dans la foulée. À partir de 1 an, pour ses vitamines A et C, ses fibres.

Framboise.

Très fragile ! À cueillir, ou à choisir, ferme, odorante, et l'aspect givré. À déguster « de suite », après 1 an, pour ses vitamines A et C, ses fibres.

Fromage blanc.

La plus belle source des laitages en protéines. Concurrence le yaourt en calcium et en calories. À partir de 1 an.

Fruit de la Passion.

Vitamine C et carotènes. À choisir rond et rebondi, la peau lisse et luisante. À partir de 1 an.

Gingembre.

On lui attribue un beau lot de qualités : facilite la digestion, améliore la vue, soulage des problèmes respiratoires ; en infusion, combat la toux, les nausées ou la grippe…

Haricots verts.

Légers, digestes. Bien minéralisés (calcium) et vitaminés (B9, carotènes). Riches en fibres. Dès 5/6 mois, choisis extra-fins.

Huiles… d'olive, de maïs, de tournesol :

À partir de 5/6 mois, et crues de préférence. Huile d'arachide : pas avant 18 mois (risques d'allergie). Toutes sont riches en vitamine E et en acides gras essentiels bénéfiques au système nerveux de l'enfant. En calories aussi.

Huile de noix.

Très forte en goût. Pas avant 18 mois.

Huile de pépins de raisin.

Très douce et sans risque allergique. À partir de 5/6 mois.

Jambon blanc.

Aussi protéiné, et riche en fer, potassium, calories que la viande. À partir de 7 mois. À condition d'être blanc, maigre (ou dégraissé) et de qualité : à l'os, par exemple.

Kiwi.

Vers 8 mois. Un trésor de vitamine C, d'accord, mais de calcium et de fer aussi… Peut être choisi ferme et mis à mûrir à côté d'une pomme (conseil de cultivateur).

Laurier.

Feuille aromatique, s'utilise souvent en complément du thym, toujours en toute petite quantité, et s'enlève du plat avant de servir.

Lentilles.

De grandes qualités : richesse intéressante en protéines, glucides et vitamines ; densité en fer qui fait concurrence aux épinards ; beaucoup de fibres (mais peu de cellulose) assez digestes, donc, pour les 18 mois et plus. Choisir des lentilles vertes du Puy, à acheter sèches et à laisser tremper une nuit avant de les cuire longtemps. Ou cuites, conservées sous vide…

Mangue.

Se choisit souple, ferme, sans trace sur la peau dont la couleur (de vert à orange) dit la variété et non le mûrissement. Se donne dès 1 an, avant tout pour sa vitamine C et ses carotènes.

Melon.

Hydratant, revitalisant, diurétique. Par son eau et son potassium ;

ses sucres ; ses vitamines (C, carotènes) ; et toute la gamme des minéraux et oligoéléments. Vers 8 mois, bien écrasé.

Menthe.
Plante vivace au frais parfum. Calmante, antispasmodique, digestive.

Miel.
Des sucres, oui, mais avec une belle dose de fer, des vitamines, des micronutriments… Le choisir avec le nom de la plante butinée et/ou de la région d'origine. Le miel d'acacia, clair et liquide, est le plus doux. Pas avant 1 an et en petite quantité.

Mozzarella.
Fromage à pâte molle du Sud de l'Italie, fait avec du lait de bufflonne (la femelle du buffle), riche en protéines et lipides. La meilleure est de Campanie. Pour les plus de 1 an.

Navet.
Pour son potassium, son calcium, ses glucides et vitamines. Léger en petit légume de printemps. À partir de 18 mois.

Noix et noisettes.
Attention aux risques de « fausse-route » ! Pas avant 3 ans, même « émiettées », en dépit de leur richesse en lipides (acides gras essentiels), en protéines, phosphore et fibres. Noix fraîches en automne.

Noix de muscade.
Épice douce à râper ou en poudre.

Noix de pécan.
Grande qualité nutritionnelle, et hautement énergétique. Riche en acides gras, protéines, minéraux et oligoéléments,

apporte des vitamines originales (B1, B2, B3 et E). Bien mixée : à partir de 3 ans.

Œuf.
À choisir « extra-frais », « bio » ou « de poule élevée en plein air ». Pour donner le jaune, dur, à partir de 7 mois (avec des essais prudents pour détecter des allergies éventuelles), plus le blanc (toujours dur) à partir de 12 mois. L'œuf à la coque, les œufs au plat et les omelettes à 2 ans. Le jaune est le plus intéressant : richissime en phosphore et calcium, en fer, iode, et vitamines A, D, E, B9. Sans oublier ses protéines, lipides et calories…

Oignon.
Riche en glucides et sels minéraux, carotènes et vitamines B, il est antibactérien. Vers 1 an.

Orange.
Dès 5/6 mois. Pour sa vitamine C ! Plus ses carotènes, sa vitamine B9, ses fibres douces.

Pain blanc.
La croûte se grignote vers 10 mois, la mie ne se mâche qu'après 18 mois. Le pain complet doit attendre, lui, l'âge de raison, 7 ans. Glucides, protéines, vitamine B9, fibres. Et gluten (risques d'intolérance).

Papaye.
Réputée à Tahiti pour son action bienfaisante dans la digestion des enfants. Estimée depuis par les chercheurs pour d'autres vertus protectrices de l'organisme. Se choisit moelleuse. Pas avant 1 an.

Parmesan.

Parmi les fromages les plus riches en calcium et phosphore. À partir de 8 mois.

Pastèque.

Gorgée d'eau, riche en vitamines. À choisir avec la peau lisse, épaisse, souple, de couleur homogène, et, au pied du pédoncule, cette craquelure qui dit qu'elle est aussi bonne que belle pour les plus de 8 mois.

Pâtes.

Glucides, protéines et calories. À donner à partir de 8 mois en vermicelle ou en alphabet à potage, vers 10 mois en « pâtes de grands ».

Pêche.

L'un des premiers fruits à donner au tout-petit. L'un des plus fragiles, aussi. Désaltérante, sucrée, vitaminée (A), la fibre douce — si elle est mûre à point. La soupeser pour sentir sa souplesse, sans la tâter pour ne pas la meurtrir. Ou l'acheter pas trop mûre, et la laisser mûrir hors du réfrigérateur, sans contact avec d'autres fruits. À préparer au dernier moment.

Persil plat.

Très très bon pour la santé ! Aromatiser potages et purées du bébé d'un jus de persil ou, ensuite, de feuilles « concassées » finement, lui permet d'en consommer frais avec ses qualités intactes : fantastiques richesses en potassium, calcium et magnésium, en vitamines C et K.

Petits pois « du jardin » frais.

Se trouvent de mai à juillet sur… les marchés, où on les choisit en cosses lisses, brillantes, pleines, et fraîches dans la main. Tendres (fibres douces) et sucrés (glucides), ils ont la meilleure densité en protéines des légumes verts. Frais (bios) ou surgelés, ou les donne en soupe et en purée vers 10/12 mois. Mais pas de petits pois entiers aux moins de 3 ans, pour éviter une « fausse-route » !

Petit suisse.

Un petit suisse équivaut à 60 ml de lait. À partir de 7 mois.

Pignon.

Fruit du pin, dont la saveur subtile de la graine serait appréciée à travers le monde depuis la préhistoire. Pas avant 3 ans.

Poire.

Fruit d'été surtout, d'automne et même d'hiver, à manier avec douceur pour éviter de la marquer, et à couper au dernier moment pour lui éviter de noircir. Rafraîchissante et hydratante, contient des fibres douces et, parmi ses sucres, du sorbitol qui stimule la digestion. Convient dès 5/6 mois. Cueillie, elle mûrit encore…

Poireau.

Basique d'hiver, mais le petit poireau nouveau du printemps, parfumé et délicat, est préférable pour les enfants (dès 5/6 mois). À consommer souvent, pour son action reminéralisante et diurétique, ses fibres, glucides et vitamines. Se choisit très frais, le fût long, droit et blanc, le feuillage dressé et bien vert, même si on ne donne que le blanc au bébé. Peut rester quelques jours cru au réfrigérateur, mais ne se conserve pas cuit.

Pois chiche.

Nutritifs et énergétiques. Denses en vitamines, minéraux et oligoéléments. Mais leurs fibres et leur soufre sont à déconseiller aux moins de 18 mois. Ces graines présentes dans l'houmos, les falafels et le couscous, se choisissent bien blanches, sans rides, et doivent tremper longtemps avant d'être cuisinées.

Poivron.

À choisir plutôt rouge que vert car, plus sucré, il contient deux fois plus de vitamine C (carotènes, aussi). À acheter ferme, brillant, lisse et intact. Vers 8 mois dans une purée.

Pomme.

Précieuse dès 5 mois. Pour sa richesse en eau, sucres, vitamine C (dont la reinette est la… reine) ; son équilibre en micro-nutriments ; sa douceur de fibres (pectine). À choisir ferme, la peau brillante (mais qu'elle n'ait pas l'air cirée…). Si elle est mangée crue, la couper au moment de servir, ou passer du citron sur sa chair pour lui éviter de noircir.

Pomme de terre.

Dans une purée avec un autre légume : vers 7 mois. En purée toute seule vers 8 mois. Sa richesse en glucides (dont l'amidon), laisse loin derrière les autres légumes. S'y ajoutent sa belle gamme de minéraux et oligoéléments, plus sa teneur en vitamine C (mais oui !), surtout quand elle est fraîchement récoltée à partir de mars, « nouvelle » ou « primeur » jusqu'au 31 juillet.

Porc.

Il est riche en vitamines B et surtout en B1. Utiliser sa poitrine pour enrichir un plat de « grands », et ses morceaux maigres vers 10 mois. Attendre le plus tard possible pour les charcuteries.

Potiron.

Dès 5/6 mois. Richissime en potassium, et en bonne position dans les légumes les plus pourvus en carotène. Comme la citrouille, il est de la famille des courges d'Amérique du Nord. Comment facilement le reconnaître ? Par le pédoncule ! Le potiron présente un pôle aplati.

Poulet (blanc de).

Sans peau ! Léger et digeste à partir de 7 mois : bien protéiné et maigre, avec un bel apport en fer, potassium, phosphore, et vitamines B.

Raisin.

Le plus sucré des fruits frais, bien minéralisé (potassium), riche en fibres. Sans peau ni pépins : dès 5/6 mois. Avec pépins : après 4 ans.

Rhubarbe.

Action astringente et fibres efficaces. Attendre l'âge de 1 an.

Ricotta.

Fromage de chèvre ou de brebis, adopté par la cuisine traditionnelle de Campanie. Entre dans des desserts comme la Pasteria de Pâques à Naples.

Riz.

Aussi riche en glucides que les pâtes et sans gluten. Cuit dans du lait de préférence. À partir de 8 mois.

Romarin.

Tonique et stimulant.

Rougette.

Laitue compacte et colorée (teintée de rouge), à cœur ferme et croquant, au goût sucré. Rougette de Montpellier ou du

Midi, elle est riche en eau, mais aussi en fibres, minéraux, oligoéléments et vitamines. Bien cuite, vers 5/6 mois.

Salsifis.
Glucides, fibres. Après 18 mois.

Sarriette.
Plante méditerranéenne très parfumée, un peu citronnée.

Sauge.
Plante méditerranéenne à la saveur un peu amère, digestive et stimulante.

Saumon.
Migrateur né en eau douce, il grandit en mer et se reproduit dans les rivières qu'il remonte. Seul le saumon sauvage de moins de 3 ans, d'Écosse ou de Scandinavie, est donc un mets de choix. « Poisson des mers froides », il est riche en acides gras essentiels et en vitamines A et D qui favorise l'assimilation de son calcium et son phosphore. À partir de 8 mois.

Semoule de blé dur.
Glucides et protéines. Vers 8 mois (risque d'intolérance au gluten). À la cuisson, absorbe 3 fois son poids d'eau.

Serpolet.
Thym sauvage au parfum discret.

Sirop d'érable.
Le miel du Canada…

Sole.
Poisson blanc maigre, très fin, très riche en calcium et en phosphore. En iode et en fluor aussi. Idéal dès 7 mois, acheté archi-frais, servi bien cuit.

Thym.
S'utilise surtout cuit. Choisir la farigoule du Midi à toutes petites feuilles, très aromatisée ; efficace dans la digestion.

Tomate.
La pulpe d'une tomate bien mûre convient, cuite et sans pépins, dès 5/6 mois, mais ne sera servie crue qu'après 1 an. Pour acheter une tomate à son apogée en parfum, saveur, vitamines (dont la C !) et minéraux, attendre les marchés de mai ; et la conserver à l'air libre : le froid retire tout goût à cette « pomme d'amour » provençale.

Vanille.
Gousse parfumée des îles, dont on râcle la pulpe.

Veau.
Viande maigre et tendre, se donne en escalope à partir de 8 mois.

Yaourt.
Du calcium ! Le lait fermenté est précieux aussi par ses protéines et ses vitamines (B2, B12). Mieux : les yaourts « spécial bébé » à partir de 7 mois, faits avec du lait de croissance, enrichis en fer et acides gras essentiels.

LA DIVERSIFICATION ALIMENTAIRE

À nouveaux aliments, saveurs nouvelles.
Et à quel âge ?

En quelque sorte, la diversification alimentaire est un jeu de piste. Un jeu grâce auquel le petit d'homme profite de l'évolution de ses capacités pour partir à l'exploration du monde des goûts et des saveurs. À pas de loup. Ne troublons pas sa prudence, elle a ses raisons. Sa curiosité l'emportera, si elle a été nourrie en temps et en heure…

Il a 5 mois. Le lait du nourrisson ne suffit plus pour satisfaire les dépenses d'énergie demandées par sa croissance en flèche. À 3 ans, son poids de naissance sera multiplié par 3, sa taille par 2, et son cerveau aura accompli la plus belle part de son développement…

Pourtant son système digestif est en cours de finitions, et pour un bon moment encore… Son estomac ne digérera bien certaines protéines qu'au fil du temps (on les choisit). Son foie arrivera à maturité vers 3 ans ; d'ici là, il ne digère les graisses qu'à petites doses (on les évite). Son pancréas produit très peu d'insuline jusqu'à 6 mois, puis peu jusqu'à 3 ans, qui ne stimule guère l'assimilation des sucres (on les oublie pour aussi longtemps que possible)… sauf l'amidon. Ses reins n'éliminent le sel que depuis l'âge de 3 mois (il n'en a guère besoin avant 1 an). Son intestin est sensible à tout ce qui n'est pas fibres tendres (on reste dans la douceur) ; et ne fera pas barrière immunitaire avant quelques mois : on se méfie des intolérances (gluten) et des allergies — iode, jaune d'œuf, fraises…

En face, chaque aliment a ses qualités. Et des inconvénients évidemment, sauf le lait maternel, « cette merveille de la nature » qui doit pourtant être complétée puis remplacée…

Mais aucun aliment ne contient tous les nutriments nécessaires à une alimentation équilibrée pour un petit être en plein devenir. Or les besoins en vitamines, minéraux et oligoéléments que l'organisme ne sait pas, et ne saura jamais, fabriquer, sont quotidiens. Et impératifs.

Alors ? La variété dans l'assiette sera le meilleur gage d'une santé en bonne et due forme. Et une source de plaisir, si les parents ont commencé tôt, et bien pris le coche au moment où le bébé se passionne pour la découverte, car tout aliment nouveau ajoute une note à la gamme des couleurs, odeurs et saveurs familières. Après, il deviendra méfiant face à l'inconnu. Ce sera bien tard pour le convaincre de goûter à tout. En douceur, toujours. Manger doit être un moment privilégié : silence, on déguste !

En diversification alimentaire, chaque bébé va son bonhomme de chemin, et les conseils du pédiatre sont là pour guider les mères. Le contenu des biberons leur montre le volume grandissant de l'estomac. La réaction du bébé à sa nourriture, sa courbe taille-poids, et son appétit de vivre, leur indiquent au quotidien si son alimentation lui convient. Mais l'ensemble du parcours à venir leur paraît tout en devinettes…

Il y a pourtant une feuille de route commune.

Basique jusqu'à 3 ans : le lait, encore et toujours ! Pour son apport unique en protéines animales et calcium. Les carences que l'on décèle (déjà !), en fer, calcium, etc., prouvent qu'il devient un parent pauvre dans la diversification alimentaire… Minimum absolu : 1/2 litre par jour après 6 mois, produits laitiers compris. Mais pas de lait de vache avant 1 an, et seulement sous forme de laitages ou fromages jusqu'à 3 ans. Il est trop peu digeste, et trop pauvre en deux éléments hyper-précieux : le fer pour oxygéner les globules rouges, et les acides gras essentiels pour soutenir le développement du cerveau. Alors ? Du lait de suite de 4 à 12 mois, du lait de croissance de 1 à 3 ans. Uniquement. Et si possible, les laitages « spécial bébé » assortis.

Nourrissantes : les céréales et les féculents pour leurs glucides (dont l'amidon) qui viennent s'ajouter aux sucres du lait, et pour leur calories. D'abord les farines infantiles vers 5/6 mois (jamais avant et toujours sans gluten), au biberon dans un premier temps. Plus tard, à partir de 7/8 mois : pomme de terre, petites pâtes, et de la semoule en dessert et au goûter.

Reminéralisants et vitalisants : les fruits et légumes frais, à fibres douces, à partir de 5/6 mois. Cuits — pas de crudités avant 2 ans. Et en quantités qui devraient croître et embellir avec le temps. Pour leurs vitamines, sels minéraux, oligoéléments. Et leur eau, désaltérante et hydratante en été.

L'œuf, à partir de 7 mois, en commençant par un demi-jaune dur. Attendre 12 mois pour un demi-œuf entier et 18 mois pour un œuf entier cuit dur ou dans des desserts. L'œuf coque en mollet se mange à partir de 2 ans.

Vitaminés : le beurre dès 4-6 mois, cru, en lichette (vitamines A et D) ; et la crème fraîche, le plus léger des corps gras, à la pointe d'une petite cuillère. L'huile d'olive à 6 mois, crue, en filet (vitamine E, acides gras essentiels).

Protéinés : la volaille, maigre à point ; le jambon blanc (sans gras) ; et la viande, rouge ou blanche, mais maigre ! Après 7 mois. Indispensables pour la qualité de leurs protéines et de leur fer, le mieux assimilé par l'organisme ; mais en petites portions jusqu'à 3 ans (en général, elles sont 3 fois trop grosses !).

Protéinés mais aussi iodés, fluorés, les poissons maigres : à partir de 7 mois. Pour pousser dru, bien planté sur ses jambes, avec des dents à croquer la vie… Seul poisson gras recommandé : le saumon, pour ses acides gras essentiels, et sa vitamine D indispensable à l'assimilation du calcium et du phosphore…

Pour le reste, on attend : 12 mois pour la mozzarella, la cannelle et la ciboulette ; 15 mois pour les févettes et les omelettes ; 18 mois pour les choux, lentilles et autres légumes secs, et le chocolat ; 2 ans (au moins) pour les crevettes, coquillages et crustacés ; 3 ans pour les figues, les noix, les amandes, les pignons et les pois chiches ; 7 ans pour le pain complet…

Rien ne sert de courir. Mieux vaut approfondir l'exploration de la palette des saveurs déjà à disposition !

*Attention aux risques d'allergies

Tableau diversification de 5 à 24 mois

Âge en mois	5/6 m.	7 m.	8 m.	10 m.	12 m.	14-15 m.	18 m.	24 m.
Fruits								
Abricots, banane, orange, pêche, poire, pomme, prune, raisin	X							
Ananas, coing, kiwi, mangue, pastèque			X					
Fraises et fruits rouges*					X			
Fruits exotiques, rhubarbe					X			
Châtaigne, marron							X	
Légumes								
Artichaut, betterave, carotte, courgette, tête de brocoli, cresson, épinard, haricot vert, laitue, poireau, potiron, rougette, tomate	X							
Asperge, aubergine, avocat, champignons de Paris, endive					X			
Blette, céleri, petits pois				X				
Concombre cuit, melon, poivron			X					
Choux, chou-fleur, légumes secs, navet, salsifis							X	
Épinard surgelé, fenouil, oignon					X			
Échalote, févette						X		
Cornichon, crudités								X
Féculents								
Céréales infantiles	X							
Pomme de terre (dans une purée)		X						
Purée de pomme de terre, petites pâtes, riz, semoule			X					
Croûte de pain, biscuit				X				
Pain (croûte et mie)							X	
Laitages								
Petit suisse, yaourt		X						
Fromages à pâte dure râpés ; fromages à pâte molle			X					
Corps gras								
Beurre, crème, huiles (sauf arachide et noix)	X							
Huile d'arachide et noix*							X	
Œuf*								
Jaune (dur)		X						
Œuf entier dur ou bien cuit					X			
Œuf entier à la coque ou mollet								X
Poissons								
Poissons maigres : bar, cabillaud, sole		X						
Saumon et autres poissons gras			X					
Coquille Saint-Jacques							X	
Crustacés								X
Viandes								
Dinde, jambon blanc, poulet		X						
Agneau, bœuf, veau			X					
Porc maigre				X				
Produits sucrés								
Miel*					X			
Chocolat							X	

LITTLEBABY

first meals
des idées pour tout-petits

Lait de rougette

Velouté de cresson

Soupe de carottes

Ainsi fond, fond, fond les artichauts

Velouté de potiron

Purée de betterave

Compotes des p'tits potes :
Poire-fraises
Pommes-cannelle
Pêches-poire
Banane-fraises

Lait de rougette

 ... au marché : 1 << rougette >> ou 1 mini-laitue verte - 1 pomme de terre moyenne
agria ou charlotte - 1 branche de cerfeuil
... en épicerie : 5 c. à s. de lait de suite jusqu'à 12 mois, de lait
de croissance pour les + de 1 an ou 1 c. à s. de crème fraîche pour les + grands

planche à découper - petit couteau - torchon - ciseaux

C'est une transposition, pour les tout-petits mais qui restera
longtemps au menu, du velouté de cresson en un lait de petite
salade tendre pour les plus jeunes : une << rougette >>, ou une
mini-laitue verte.

Préparer la salade : éliminer les grandes feuilles et le trognon
pour ne garder que le cœur. Le passer sous l'eau avec la pomme
de terre, les couper en morceaux, les laver et les placer
dans le panier à vapeur.

Cuire 10 mn (niveau d'eau 2). Laver, essuyer au torchon
et ciseler le cerfeuil aux ciseaux.

Jeter le jus de cuisson. Transvaser les légumes dans le mixeur.
Ajouter le lait (adapté à l'âge de l'enfant) et le cerfeuil.
Mixer : 2 à 3 impulsions selon la consistance voulue, qui doit être
légère et assez liquide pour être bue au biberon, si désiré.

*GOOD POINT : La rougette ! Petite laitue teintée de rouge, croquante
et sucrée ; riche en eau, et dotée d'un bel éventail de micronutriments...*

first meals / des idées pour tout-petits

28

Velouté de cresson

… au marché : 1/2 botte de cresson d'Ile-de-France - 1/2 pomme de terre (BF15)
… en épicerie : 1 c. à s. de vinaigre - 1 c. à s. de lait de suite -
… pour un enfant de 1 an : supprimer le lait et ajouter 1/4 d'oignon blanc
bassine - petit couteau pointu - économe - planche à découper - chinois

Pour les 6-12 mois : dans une bassine d'eau vinaigrée,
faire tremper le cresson la tête en bas, avant de le rincer dans
plusieurs eaux. Couper les têtes au couteau, en leur laissant
2 cm de tige. Passer la pomme de terre sous l'eau, l'éplucher
à l'économe, la laver et en couper une moitié en morceaux. Mettre
le tout à cuire 10 mn (niveau d'eau 2) dans le panier à vapeur.
Jeter le jus de cuisson.

Transvaser dans le mixeur. Donner 3 impulsions, en ajoutant
le lait avant la 2e, et du lait avec un peu d'eau peu minéralisée
avant la 3e, pour une consistance à boire au biberon.

Pour les + de 1 an : éplucher aussi l'oignon et en émincer
finement 1/4 que l'on ajoute au panier à vapeur
pour 10 mn de cuisson.

Quand tout est cuit, transvaser dans le mixeur,
donner 3 impulsions, en ajoutant un peu d'eau
(mais pas de lait) entre chaque impulsion,
pour obtenir un velouté, que l'on passera
au chinois afin qu'il soit bien lisse…

GOOD POINT : Le cresson !… mais ne choisir que
la production, très contrôlée, des cressonnières
alimentées en eau de source. C'est l'un
des légumes les plus riches en minéraux
(calcium surtout) et en vitamines (B9 ou
acide folique, carotènes).

Soupe de carottes

… **au marché :** 1 carotte « sable » - 1 pomme de terre charlotte
… **en épicerie :** 1 noix de beurre

planche à découper - économe - petit couteau pointu

Pour les 6-12 mois : laver la carotte et la pomme de terre sous l'eau. Les éplucher à l'économe, les laver. Couper la carotte en fines rondelles, la pomme de terre en petits dés, et mettre à cuire 15 mn (niveau d'eau 3) dans le panier à vapeur. Jeter le jus de cuisson. Transvaser les légumes dans le mixeur. Donner 3 impulsions, en ajoutant un peu d'eau faiblement minéralisée entre chaque impulsion, jusqu'à obtenir une consistance bien lisse, assez fluide pour le biberon ; un peu plus dense, ensuite, pour la cuillère…

Pour les + de 1 an : on oublie la pomme de terre et on ajoute une carotte. Les préparer comme ci-dessus, mais en les saupoudrant d'un soupçon de sel avant de les cuire. Jeter le jus de cuisson. Mixer jusqu'à obtenir une consistance bien lisse. Verser dans l'assiette. Couper en petits dés la noix de beurre frais et dur, et les déposer sur le velouté… Laisser fondre en auréoles.

GOOD POINT : La carotte ! Pour sa couleur gaie et son goût sucré. Son bêtacarotène fait la peau belle, les joues (et les fesses) roses ; ses fibres douces facilitent la digestion. À condition qu'elle soit du jardin ou achetée bio (pour un minimum de nitrates). La pomme de terre ajoute sa richesse en amidon, en minéraux et en vitamines. Et le beurre est une belle source de vitamines A… consommé cru.

6 mois et +   25 mn

Ainsi fond, fond, fond
les artichauts

... au marché : 1 artichaut « camus » de Bretagne - 1 c. à s. de lait de suite

... en épicerie : pour les + de 8 mois, remplacer le lait de suite par 1 filet d'huile d'olive

planche à découper - petit couteau pointu - cuillère à café

Pour les 6-8 mois : laver l'artichaut sous l'eau courante, en le secouant énergiquement la tête en bas. Retirer les premières feuilles et casser la tige à la main pour bien entraîner ses fibres dures. Couper l'artichaut cru à ras du fond, enlever le foin à la petite cuillère, et couper le reste du fond en gros morceaux à placer dans le panier à vapeur. Cuire 15 mn (niveau d'eau 3). Jeter le jus de cuisson. Transvaser dans le mixeur et donner 3 impulsions, en ajoutant du lait entre chacune, pour un velouté très lisse à servir au biberon ; 2 impulsions, avec un peu de lait ou d'eau faiblement minéralisée, pour une purée à la cuillère ; 1 impulsion seulement pour une purée de grand (avec des petits morceaux).

Pour les + de 8 mois : mixer avec 1 seule impulsion, sans lait ni eau. Et terminer la présentation de la purée par une fine spirale d'huile d'olive.

GOOD POINT : Richissime en minéraux, reminéralisant, l'artichaut contient aussi un sucre particulier, l'insuline, qui aide à l'assimilation des minéraux, à l'équilibre de la flore intestinale... et qui lui donne cette saveur douce, appréciée dès le plus jeune âge.

 6 mois et + | 20 à 25 mn

GOOD POINT : *Tendre et sucré, le potiron est recommandé dès
5/6 mois pour son abondance en potassium, fer et magnésium ;
ses fibres douces ; et le bêta-carotène qu'affiche sa couleur
soleil… Le jaune d'œuf est un bon compagnon de route,
avec ses protéines de qualité, son phosphore,
et ses vitamines (B surtout).*

Velouté de potiron

… **au marché** : 100 g de potiron à 6 mois, 150 g à 8 mois, 200 g à 1 an

à **6 mois** : 2 c. à s. de lait de suite

à **partir de 8 mois** : 1 jaune d'œuf << extra-frais >> d'une poule élevée en plein air et une noisette de beurre

… **en épicerie** : seulement pour les + de 1 an, ajouter - 2 c. à s. de lait de croissance - 1 c. à s. d'huile d'olive - 1 mini-pincée de sel - 1/4 de tour du moulin de poivre blanc

bol - cuillère à soupe - planche à découper - petit couteau pointu… et pour les + de 8 mois : spatule - 1 autre bol

Passer le potiron sous l'eau, enlever écorce et pépins, couper la pulpe en petits dés et les laver. Les placer dans le panier à vapeur et cuire 15 mn (niveau d'eau 3). Récupérer le jus de cuisson dans un bol.

Pour les 6-8 mois :

Transvaser les dés cuits dans le mixeur. Y verser le lait. Mixer jusqu'à obtenir un parfait velouté (3 impulsions), en ajoutant, si besoin, un peu de jus de cuisson entre chaque impulsion, pour obtenir une consistance assez liquide pour être bue au biberon.

Pour les 8-12 mois :

Avant de mixer, casser l'œuf ; séparer le blanc du jaune. Et ajouter au lait le jaune. Mixer (2 impulsions) en mélangeant à la spatule entre les deux impulsions. Déposer la noisette de beurre froid sur le velouté juste avant de servir.

Pour les + de 1 an :

Assaisonner le velouté avec un peu de sel (et vers 2-3 ans très peu de poivre), le verser dans une assiette, puis dessiner dessus une fine spirale d'huile d'olive…

Purée de betterave

… au marché : 1 betterave cuite (ou sous vide)
… en épicerie : pour les tout-petits : du lait de suite
planche à découper - petit couteau pointu - fourchette

Ôter la peau de la betterave cuite. La couper en morceaux et les mettre dans le mixeur.

Mixer : 2 impulsions, en ajoutant un peu de lait entre chaque impulsion pour une purée très lisse que l'on peut servir au biberon ; ou un peu d'eau faiblement minéralisée pour une purée à la cuillère. Et 1 impulsion seulement, sans eau ni lait, pour une purée de grand avec des petits morceaux.

GOOD POINT : La betterave rouge a une saveur fine et sucrée facilement acceptée par les bouts de chou.

Déjà cultivée par les Égyptiens pour ses vertus médicinales, elle est recommandée en cas de maux de tête et… de dents ! Riche en vitamines B et C, en magnésium, phosphore et fibres ; même ses feuilles au goût d'épinards contiennent vitamines A, fer et calcium.

Les Compotes des p'tits potes

À la base : des fruits
de saison, à mixer juste avant
de les donner au bébé, tièdes,
frais, ou même glacés
(pour les plus de 1 an).
En les sucrant un peu,
si besoin. Et en gardant
au frais leur jus de cuisson
pour l'heure du goûter...

Compote pêches-poire

… au marché : 2 pêches de vigne rouges - 1 poire williams
… en épicerie : 1 petite pluie de sucre blanc

planche à découper - petit couteau pointu - 2 grands verres (ou biberons)

Passer les fruits sous l'eau. Peler la poire, la couper en 4,
enlever cœur et pépins, découper la pulpe en morceaux
que l'on place dans le panier à vapeur. Peler les pêches,
en glissant d'abord le dos du couteau sur la peau pour
qu'elle se détache facilement. Les couper en 2, enlever le noyau,
découper la pulpe en morceaux à ajouter dans le panier.
Faire cuire 5 mn (niveau d'eau 1). Garder le jus de cuisson
dans un verre pour le goûter, avec, par exemple, après 8 mois,
une langue de chat (voir p. 152). Transvaser les fruits
dans le mixeur, donner 1 impulsion. Goûter, si besoin saupoudrer
d'un peu de sucre. Et on sert encore tiède…

GOOD POINT : *Pêche et poire conviennent au tout-petit.*
Rafraîchissantes et hydratantes, légères et vitaminées,
elles ont la fibre tendre. Et la poire ajoute aux sucres de la pêche
son sorbitol, qui stimule la digestion. Mais toutes deux sont fragiles,
à manier avec précaution, et à préparer au dernier moment.

Compote banane-fraises

… **au marché :** 1/2 banane mûre

Et à partir de 1 an : 1/2 barquette de fraises gariguettes (125 g)

… **en épicerie :** 1 petite pluie de sucre blanc

*planche à découper - petit couteau pointu - passoire -
2 grands verres (ou biberons)*

Éplucher la banane. Couper une moitié en gros morceaux, que l'on place dans le panier à vapeur. Laver les fraises dans une passoire sous l'eau courante, les égoutter, puis les équeuter.
Les ajouter au panier. Cuire 10 mn (niveau d'eau 2).

Transvaser les fruits dans le mixeur. Mixer (2 ou 3 impulsions), en ajoutant un peu de jus de cuisson entre chaque impulsion, jusqu'à obtenir une compote légère, de la consistance désirée. Garder le reste de jus dans un verre pour le goûter avec, par exemple, pour les + de 1 an, un cookie chocolat blanc ou noir (voir p. 168). Sucrer un peu si besoin avant de servir…

GOOD POINT : Dense, moelleuse, sucrée, la banane est une belle source de potassium et de magnésium… Légère, dynamisante, la fraise est un pur concentré de fructose et de vitamine C. L'ajouter petit à petit au menu pour déceler toute allergie éventuelle à son histamine.

Compote poire-fraises

… au marché : 1/2 poire passe-crassane ou williams
Et après 1 an : 1/2 barquette de fraises de Plougastel (125 g)

… en épicerie : 1 petite pluie de sucre roux

*planche à découper - petit couteau pointu - passoire - 2 grands verres
(ou biberons)*

Laver la poire, la couper en 4, peler les quarts, enlever cœur
et pépins. Mettre les deux quarts dans le panier à vapeur.
Laver les fraises dans une passoire sous l'eau froide,
les égoutter, puis les équeuter. Les ajouter dans le panier. Cuire
10 mn (niveau d'eau 2). Garder le jus de cuisson dans
un verre pour le goûter avec, par exemple, pour les plus grands,
une madeleine (voir p. 162). Transvaser les fruits dans
le mixeur et donner 2 impulsions pour une compote
légère et fluide.

Goûter, et saupoudrer d'un peu de sucre, si
besoin, sans masquer la saveur des fruits…

GOOD POINT : *La fraise est gorgée de fructose
et de vitamine C quand elle est mûre. Mais les
risques d'allergie à son histamine demandent
d'attendre 12 mois pour la mettre au menu.
La poire apporte son eau, ses sucres et vitamines.*

THE MORE TO LOVE IT : *Poire d'été,
la williams est juteuse, fondante, parfumée ;
parfaite pour les compotes et marmelades,
ou écrasée à la fourchette. Poire de printemps
sucrée, la passe-crassane se tient bien.*

Compote pommes-cannelle

... au marché : 2 pommes golden
... en épicerie : 1 petite pluie de sucre roux - 1 petit bâton de cannelle - 1 pointe de cannelle en poudre

planche à découper - petit couteau pointu - passoire - 2 grands verres (ou biberons)

Laver les pommes, les éplucher, les couper en quarts. Enlever cœur et pépins. Placer les quartiers coupés en morceaux dans le panier à vapeur avec le bâton de cannelle. Cuire 15 mn (niveau d'eau 3). Verser le jus de cuisson dans un verre. Ôter le bâton de cannelle. Transvaser les fruits dans le mixeur. Mixer : 2 ou 3 impulsions, en ajoutant le jus peu à peu entre chaque impulsion, jusqu'à obtenir une compote légère et mousseuse ; ou 1 impulsion pour garder des petits morceaux. Saupoudrer d'un peu de sucre roux.

Goûter, ajouter une pointe de poudre de cannelle sur le dessus pour relever un peu le goût et la couleur.

GOOD POINT : *Recette d'automne et d'hiver : la cannelle, une des plus anciennes épices, à l'effet antiviral et stimulant, est utilisée contre les rhumes, la grippe et les troubles digestifs. La pomme tendre, savoureuse, redonne de l'énergie (avec ses fructoses et glucides), recharge l'organisme en minéraux et vitamines ; et possède un fort pouvoir hydratant.*

THE MORE TO LOVE IT : *Pommes petits morceaux. On remplace la cannelle par une gousse de vanille des îles (que l'on retire avant de mixer), on écrase à la fourchette les pommes juste cuites.*

vite fait-bien fait...
tous les jours

Potatoeshow :
  Pomme de terre écrasée montée à l'huile
    Potage Parmentier
  Crème vichyssoise

  Pétales de cabillaud et courgette écrasée à la fourchette

  Pétales de cabillaud et miettes de brocoli

  Purée de pois chiches au romarin

  Petit blanc de volaille fermière et brocoli

Crème de volaille

Purée de petits Paris

Mousse d'avocat et crevettes

Faisselle aux herbes

Pasta del papa :
  Jambon blanc, comté, jus de rôti
    Tomate et chèvre
      Sauce pistou
        Nids de tagliatelles, épinards, mozzarella

8 mois et + — 20 à 25 mn

vite fait–bien fait…
tous les jours

44

Potatoeshow
Pomme de terre écrasée montée à l'huile

… au marché : 1 grosse pomme de terre agria ou charlotte -
3 branches de persil plat
… en épicerie : 2 c. à s. de lait de suite - 1 noisette de beurre

pour 1 enfant de 1 an : 1 seconde pomme de terre - 1 c. à s. d'huile
d'olive (au lieu du lait de suite et du beurre) - 1 mini-pincée de sel

économe - petit couteau pointu - planche à découper - fourchette

Pour les 7-12 mois :

Passer sous l'eau la pomme de terre, l'éplucher à l'économe,
la laver puis la couper en gros dés, que l'on met à cuire 15 mn
dans le panier à vapeur (niveau d'eau 3).

Passer le persil sous l'eau, l'essorer et l'effeuiller.

Jeter le jus de cuisson. Transvaser la pomme de terre dans
le mixeur, donner 1 impulsion. Ajouter les feuilles de persil,
le lait, le beurre, et donner 1 seconde impulsion, pour une purée
maison.

Pour les + de 1 an :

Préparer et cuire les pommes de terre. Jeter le jus de cuisson.
Préparer le persil, puis << concasser >> ses feuilles à la main.
Ensuite, c'est à la fourchette que l'on écrase la pomme
de terre dans une assiette, en y ajoutant l'huile d'olive et
le persil. Goûter, assaisonner légèrement, si besoin.

GOOD POINT : Une recette simple mais hyper vitaminée. Pour la richesse de la pomme de terre qui la place loin devant les autres légumes : glucides, minéraux et oligoéléments sans oublier sa teneur en vitamines.
Pour les vertus discrètes du persil . calcium et vitamines (K, C, et carotènes).
Et les ressources de l'huile d'olive en acides gras essentiels... évidemment !

Potatoeshow
Potage Parmentier

... au marché : 1 grosse pomme de terre agria ou charlotte - 1 jeune poireau

... en épicerie : 1 noix de beurre pommade

pour 1 enfant de 1 an : 1 seconde pomme de terre -
1 c. à s. d'huile d'olive -1 mini-pincée de sel

torchon - économe - petit couteau pointu - planche à découper - bol

Pour les 7-12 mois :

Brasser le poireau sous grande eau, le sécher au torchon,
et séparer au couteau le blanc du vert. Émincer 20 g de blanc.
Passer sous l'eau la pomme de terre, l'éplucher à l'économe,
la laver puis la couper en gros dés. Mettre à cuire le blanc
du poireau et les dés de pomme de terre 15 mn dans le panier
à vapeur (niveau d'eau 3). Garder le jus de cuisson dans un bol.
Transvaser les légumes dans le mixeur en ajoutant une noix
de beurre tendre. Donner 1 à 2 impulsions en ajoutant un peu
de jus de cuisson pour une purée homogène.

Pour les + de 1 an :

Assaisonner, légèrement bien sûr, et couler un filet d'huile
d'olive avant de servir.

GOOD POINT : *Bonne alliance ! La douceur de la fibre et
l'action diurétique du poireau s'allient ici à la richesse
en nutriments de la pomme de terre.*

46

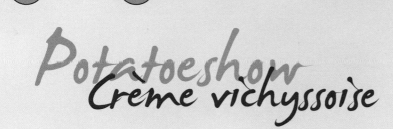

Potatoeshow
Crème vichyssoise

… au marché : 1 grosse pomme de terre agria ou charlotte - 1 jeune petit poireau - 3 ou 4 branches de persil frais

… en épicerie : 1 noisette de beurre pommade

pour 1 enfant de 1 an : 1 seconde pomme de terre - 1 mini-pincée de sel

torchon - économe - petit couteau pointu - bol - papier cellophane - ciseaux

Préparer les pommes de terre et le blanc de poireau comme pour le potage Parmentier (p. 46). Les cuire 15 mn (niveau d'eau 3). Laver, essorer au torchon et « ciseler » le persil aux ciseaux.

Garder le jus de cuisson. Transvaser les légumes dans le mixeur et y ajouter le persil en même temps que la noix de beurre tendre. Mixer : donner 3 impulsions en ajoutant un peu de jus entre chacune pour obtenir une crème. Verser dans un bol que l'on recouvre de papier cellophane. Laisser refroidir au réfrigérateur et servir bien frais, en assaisonnant légèrement pour les + grands.

GOOD POINT : *Les vertus du persil (calcium et vitamines) viennent couronner la richesse de la pomme de terre (en glucides, minéraux, vitamines et oligoéléments).*

Pétales de cabillaud
et courgette écrasée à la fourchette

… au marché : 1 petite courgette - 1 petite pomme de terre charlotte - 1 branche de persil plat - 1 petit pavé de cabillaud (40 g)

… en épicerie : 1 mince filet d'huile d'olive

pour les + de 1 an : 1 feuille de laurier - 3 ou 4 feuilles de thym - 3 ou 4 graines de coriandre

planche à découper - petit couteau pointu - ciseaux - 2 assiettes - film étirable - saladier - fourchette

Couper les bouts de la courgette. Bien la laver sous l'eau courante, car on lui laisse sa peau pour donner de la couleur au plat. La couper en 4 dans sa longueur. Enlever les pépins au couteau et couper les quarts en morceaux.

Passer la pomme de terre sous l'eau, l'éplucher à l'économe, la laver, la couper en morceaux. Mettre les légumes dans le panier, à cuire 10 mn (niveau d'eau 2), pas plus, pour garder verte la peau de la courgette. Jeter le jus de cuisson.

Ensuite, poser le pavé de cabillaud dans le panier à vapeur pour 3 mn de cuisson seulement (niveau d'eau 0,5) afin qu'il reste ferme. Jeter le jus de cuisson.

Pendant ce temps, laver le persil, l'essorer, l'effeuiller, et « ciseler » ses feuilles aux ciseaux. Dans un récipient, placer le persil cru, la courgette et la pomme de terre cuites. Les écraser à la fourchette. Former un cercle à l'aide d'un emporte-pièce et verser par-dessus un fin filet d'huile d'olive.

Pousser du bout des doigts sur les pétales du cabillaud, pour les détacher les uns des autres. Les poser sur le cercle de courgette écrasée.

GOOD POINT : Une source de santé. Une recette légère et digeste, qui convient dès les premiers « vrais repas » ; rapide à accomplir aussi. Elle a l'avantage d'unir deux aliments fabuleux pour l'organisme : un poisson maigre et des légumes bienfaisants sans réserve dès l'âge de 7 mois.

THE MORE TO LOVE IT : Pour les très grands (1 an), accentuer la saveur méditerranéenne de ce plat : confectionner une petite bourse en toile ; glisser 3 ou 4 graines de coriandre, du thym et 1 feuille de laurier (pas plus) ; la ficeler et la glisser dans le panier avant la cuisson du poisson.

7 mois et + — 15 mn

variante
Pétales de cabillaud
et miettes de brocoli

… **au marché :** 1 petit pavé de cabillaud (40 g) - 1 petit bouquet d'aneth frais - 3 ou 4 têtes de brocoli - ½ citron

… **en épicerie :** 1 pincée de sel pour les plus grands

planche à découper - petit couteau - 2 assiettes - film étirable - saladier - ciseaux - fourchette

Brasser le brocoli dans de l'eau fraîche. Couper 3 ou 4 de ses têtes dites « sommités », et les mettre à cuire dans le panier à vapeur 5 mn (niveau d'eau 1).

Jeter le jus de cuisson. Écraser les « sommités » à la fourchette dans une assiette. Recouvrir d'un film étirable pour les garder au chaud.

Couper l'aneth aux ciseaux. En tapisser (sans lésiner !) le dessus du pavé de cabillaud cuit (3 mn, niveau d'eau 0,5).

Dans l'assiette de bébé, alterner les couches de pétales de cabillaud et de miettes de brocoli, puis finir par un léger filet de jus de citron. En un mille-feuille blanc et vert…

THE MORE TO LOVE IT : Demander au poissonnier de vous découper un beau pavé de cabillaud qui se tienne bien à la cuisson, et d'en enlever les arêtes.

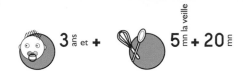
Purée de pois chiches
au romarin

... au marché : 1/4 d'oignon nouveau - 1 petite branche de romarin
... en épicerie : 80 g de pois chiches secs - 1 c. à s. d'huile d'olive
2 bols - passoire - planche à découper - petit couteau pointu - fouet

La veille, faire tremper les pois chiches dans un grand bol d'eau, en les laissant gonfler et s'attendrir durant la nuit.

Le jour même, égoutter les pois chiches dans une passoire, et les rincer sous l'eau courante.

Enlever la première peau de l'oignon et en « émincer » finement un quart. Passer le romarin sous l'eau, et le déshabiller de ses « aiguilles » que l'on met en attente.

Placer pois chiches, oignon, et aiguilles de romarin dans le panier à vapeur. Cuire 15 mn (niveau d'eau 3). Récupérer le jus de cuisson dans un bol.

Transvaser le contenu du panier dans le mixeur. Donner 2 à 3 impulsions en ajoutant entre chacune un peu de jus de cuisson et l'huile d'olive pour obtenir une consistance bien homogène.

GOOD POINT : L'exploration des saveurs venues d'ailleurs avec toutes les qualités du pois chiche : nutritif, énergétique, grand fournisseur de protéines, glucides et fibres, il est aussi une excellente source d'acide folique (ou vitamine B9), actif dans le développement du système nerveux… Mais le système digestif n'accepte bien ce légume sec que vers l'âge de 2 ou 3 ans.

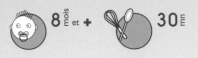

8 mois et +   30 mn

vite fait-bien fait...
tous les jours

Petit blanc de volaille
fermière et brocoli

… au marché : 1 blanc de poulet fermier (80 g environ) -
3 petites têtes de brocoli - 3 petites pommes de terre roseval -
½ tomate olive - ½ blanc de poireau « crayon »

… en épicerie : 1 pincée de sel - 1 mince filet d'huile d'olive -
¼ de tour du moulin à poivre blanc - quelques grains de fleur de sel

*saladier - casserole - planche à découper - petit couteau pointu - économe -
assiette - papier cellophane*

Enlever la peau du blanc de poulet, le découper en petits dés,
à placer dans le panier à vapeur pour 10 mn de cuisson
(niveau d'eau 2).

Préparer les légumes : couper 3 têtes de brocoli en leur laissant
2 cm de tige. Débarrasser le blanc de poireau de ses départs
de racines, et fendre en 4 sa partie haute. Laver ces légumes sous
l'eau courante, en les secouant énergiquement la tête en bas.
Couper le blanc de poireau en 2 dans sa longueur, et en « émincer »
finement un demi-blanc.

Enlever le pédoncule de la tomate, la couper en 2 et garder
une moitié. Passer les pommes de terre sous l'eau, les éplucher
à l'économe, les laver et les tailler en dés.

Lorsque le poulet est cuit, jeter le jus de cuisson. Transférer sur
une assiette, à couvrir de cellophane pour le tenir au chaud.

Placer le brocoli, le blanc de poireau, la tomate et les pommes de
terre dans le panier à vapeur. Les cuire 15 mn (niveau d'eau 3).
Jeter le jus de cuisson et transvaser les légumes
dans le mixeur.

Mixer en purée (2 impulsions) avec les dés de
poulet pour les petits. Pour les grands, disposer
la purée de légumes dans une assiette creuse,
et poser les dés de poulet dessus, puis laisser
couler un léger filet d'huile d'olive.

Pour les très grands, assaisonner légèrement,
et agrémenter de quelques grains de fleur de sel.

*GOOD POINT : Bel éventail diététique que ce repas pour palais
délicats ! Le goût sucré des roseval (énergétiques) compense
l'amertume du poireau (fibres douces, action diurétique) ainsi
que l'acidité de la tomate (gorgée de vitamines et de minéraux).
Le brocoli y ajoute sa dose de provitamine A (belle croissance,
bonne vision), et de vitamine C surtout (stimulant des défenses de
l'organisme)…*

Crème de volaille

… au marché : ½ carotte - 1 patate douce (ou navet fane pour les + de 18 mois) - 2 sucrines (cœur de laitue) de bébé « romaine » - 30 g de blanc de poulet fermier

… en épicerie : 2 c. à s. de lait de croissance - 1 noisette de beurre

torchon - économe - planche à découper - petit couteau - casserole

Sortir le beurre du réfrigérateur.

Laver les légumes sous l'eau courante, les sécher au torchon. Éplucher la carotte, la couper en 2, prendre une moitié et la couper en rondelles. Éplucher la patate douce et la couper en petits morceaux avec le blanc de poulet. Laver carotte et patate douce avant de les placer avec les dés de poulet dans le panier à vapeur. Cuire 15 mn (niveau d'eau 3).

Verser le lait dans une petite casserole à feu doux jusqu'à ce qu'il frémisse.

Lorsque les légumes sont cuits, les transvaser dans le mixeur. Garder le jus de cuisson dans un bol. Mixer (3 impulsions) en ajoutant, peu à peu, entre chaque impulsion, le lait chaud et le beurre. Rajouter si besoin du jus de cuisson pour obtenir un parfait velouté.

Verser dans l'assiette creuse du jeune esthète en « chiffonnant » dessus les feuilles de laitue croquantes.

GOOD POINT : Joli cocktail bonne santé ! Protéines (le poulet), glucides (la patate), fibres douces (carotte et laitue), minéraux et oligoéléments à gogo…

Purée de petits Paris

... au marché : 100 g de champignons « boutons » de Paris -
1 petite pomme de terre charlotte - ½ citron

... en épicerie : 2 c. à s. de crème fraîche liquide, 1 mini-pincée de sel

bassine - passoire - petit couteau pointu - planche à découper - économe

Préparer les champignons : enlever sur 1/2 cm la partie terreuse
de leur pied. Les brasser dans une bassine d'eau citronnée puis
les rincer sous l'eau courante avant de les égoutter
dans une passoire.

Laver la pomme de terre, l'éplucher à l'économe, la couper
en morceaux et les passer sous l'eau.

Placer le tout dans le panier à vapeur, avec quelques gouttes
de citron et cuire 15 mn (niveau d'eau 3).

Jeter le jus de cuisson et transvaser
dans le mixeur. Mixer (3 impulsions) en ajoutant la crème petit
à petit entre chaque impulsion pour obtenir la consistance
d'une onctueuse purée. Assaisonner légèrement.

*GOOD POINT : Cru, cuit, chaud ou froid, le champignon va dans
tous les plats. Remarquablement riche en minéraux, oligoéléments et
vitamines plutôt originales (B,D et K), il est souvent adoré par
les bébés par sa douceur en bouche. Il accompagne bien les viandes et
notamment les petits craquelins de veau (p. 130) !*

2 ans et + ✦ 10 mn

Mousse d'avocat
et crevettes

… au marché : ½ avocat - ½ citron - 2 ou 3 feuilles de basilic, ou de coriandre - 2 ou 3 grosses crevettes roses de l'Atlantique (cuites) pour les aînés (2-3 ans)

… en épicerie : 1 léger filet d'huile d'olive

planche à découper · petit couteau pointu · ciseaux

Laver les feuilles de basilic (ou de coriandre) sous le jet d'eau. Les ciseler aux ciseaux.

Couper le citron en 2. Garder le même couteau, sans le laver, pour couper l'avocat en 2 : astucieux pour éviter que sa chair noircisse. Passer aussi sur la pulpe de citron la petite cuillère, avec laquelle on va enlever la chair de l'avocat. Prendre une moitié seulement, et la déposer dans le mixeur.

Garder la carapace. Ajouter 2 gouttes de citron (et 2 gouttes seulement !), un léger filet d'huile d'olive et les herbes.

Mixer : donner 2 impulsions si l'on veut une mousse avec quelques morceaux d'avocat, sinon 3 pour qu'elle soit homogène façon « guacamole », en remuant bien avec la spatule entre chaque impulsion.

Pour les + de 2 ans, ajouter les crevettes roses décortiquées et en petits morceaux (découpées à la main ou mixées avec 1 seule impulsion).

Disposer le tout dans un bol ou, mieux, dans la carapace de l'avocat, avec une feuille de basilic (ou de coriandre) en décoration.

GOOD POINT : *L'avocat développe un goût très fin, et c'est un précieux cocktail d'acides gras essentiels (pour le cerveau, le système nerveux, la rétine) et de vitamine E, protectrice de ces acides gras… Mais on attend que le système digestif puisse assimiler sa richesse en lipides : à 1 an passé.*

Les crevettes sont une source de protéines et de sels minéraux très revitalisante. Mais les risques d'allergie demandent d'attendre un peu plus encore, vers 2 ou 3 ans.

THE MORE TO LOVE IT : *La coriandre affine la texture de l'avocat. Quand l'enfant grandit, on augmente la quantité de citron, et on diminue le nombre d'impulsions pour garder des morceaux d'avocat. Choisir des crevettes bien fraîches (la carapace brillante et ferme, la queue recourbée)… ou alors surgelées.*

Faisselle aux herbes

... au marché : 2 bonnes c. à s. de faisselle (30 g) ou de lait caillé frais - 1 brin de ciboulette - 1 branche de cerfeuil - 1 branche d'estragon - 1/4 d'échalote rose de Jersey

... en épicerie : 1 léger filet d'huile de noix - du pain rassis à toaster (ou des croustini)

torchon - ciseaux - ramequin

Passer les herbes sous l'eau, bien les secouer, les essorer dans un torchon, et les couper grossièrement aux ciseaux. Éplucher l'échalote et « l'émincer » finement. Mettre dans le mixeur 1 c. à c. de ciboulette et autant de cerfeuil, 1/2 c. à c. d'estragon et autant d'échalote. Mixer juste un peu 1 impulsion), pour ne pas les réduire en bouillie. Ajouter la faisselle, remuer et mixer encore une fois (1 impulsion). Verser ce lait caillé aromatisé dans le ramequin.
On peut toaster ou passer au gril des petits croustini de pain, que l'on dispose à côté.

Au dernier moment, couler dessus un filet d'huile de noix. Et tremper les petits toasts dedans...

THE MORE TO LOVE IT :

On commence par faire goûter la faisselle nature, puis avec un léger filet d'huile, en ajoutant ensuite une herbe, et une seule, différente chaque fois, pour noter les saveurs préférées (ou détestées !) de bébé...

GOOD POINT : Elle ouvre tôt
l'univers des fines herbes et
des condiments et rassemble
un bouquet de bienfaits…
et de goûts que les caractères
bien trempés apprécieront.

Pasta Del Papa
Jambon blanc, comté, jus de rôti

... au marché : 1 tranche épaisse de jambon blanc (40 g) - 1 c. à c. de jus de rôti - 1 petit morceau de comté de Savoie (20 g)

... en épicerie : 3 c. à s. de petites pâtes rigolotes (coquillettes, alphabets, etc.) - 1 filet d'huile d'olive

couteau pointu - casserole

Débarrasser le jambon de son gras et le placer dans le mixeur. Donner 1 impulsion. Enlever la croûte du fromage et le couper en petits dés.

Faire cuire les petites pâtes selon l'habitude.

Dans une casserole sur feu doux, verser le jus de rôti et ajouter le jambon blanc. Lorsque le jambon est bien coloré, l'ajouter aux pâtes. Au dernier moment, disposer sur la pasta chaude les petits dés de comté qui vont fondre doucement.

GOOD POINT : *Une recette qui associe le menu des petits au rôti familial du dimanche.*

THE MORE TO LOVE IT : *Vous voulez donner à vos pâtes aussi un vrai goût de rôti ? Mettre dans leur casserole de cuisson 2/3 d'eau et 1/3 de jus de rôti.*

Pasta Del Papa
Tomate et chèvre

… au marché : 30 g de chèvre semi-frais, du cabécou par exemple - 4 c. à s. de fondue de tomate « à notre façon » (p. 69) - 1 feuille de basilic

ciseaux - planche à découper - petit couteau

Pour raffiner la fondue de tomate en une sauce savoureuse.

Laver le basilic sous l'eau courante et le « ciseler » aux ciseaux.

Couper en petits morceaux le cabécou et le placer avec la fondue de tomate dans le mixeur. Donner 1 impulsion. Y ajouter le basilic et mixer à nouveau (1 impulsion).

Verser sur les pâtes cuites.

GOOD POINT : *Une recette à la saveur douce et subtile, diététique et équilibrée, qui marie la tomate mûre et un fromage maigre. Un beau lot de vitamines (A, C, D) de minéraux, d'oligoéléments et de calcium…*

THE MORE TO LOVE IT : *Tomate et chèvre ? Avec des tortellini par exemple !*

vite fait-bien fait…
tous les jours

62

3 ans et +   5 mn + cuisson des pâtes

THE MORE TO LOVE IT : *Ajouter cette sauce au pistou… sur le gaspacho andalou, et le mettre au réfrigérateur pour le servir frais !*

Pasta Del Papa
Sauce au pistou

… au marché : 3 branches de basilic - 10 g de parmesan Reggiano - 1 c. à s. de pignons de pin

… en épicerie : 1 mini-pincée de sel - 4 c. à s. d'huile d'olive

torchon - petit couteau - râpe à fromage

Laver le basilic sous l'eau courante, l'essuyer au torchon et l'effeuiller à la main. Mettre les feuilles dans le mixeur. Préparer le parmesan en lui ôtant sa croûte au couteau puis le râper fin. Le placer avec les pignons de pin dans le mixeur. Y ajouter 1 mini-pincée de sel (pour garder le basilic bien vert). Donner 3 impulsions en versant l'huile d'olive, entre chaque impulsion, pour bien lier les ingrédients entre eux.

GOOD POINT : *C'est tout simple, délicieux, parfumé, et fait en 5 mn ! Pour accompagner les pâtes bien sûr, et donner un aperçu des saveurs italiennes… Sans oublier les bons points du pignon : très énergétique, il est aussi nutritif que l'amande ou la noisette mais bien plus digeste.*

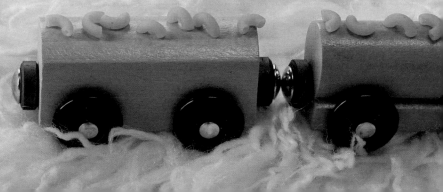

Nid de tagliatelles, épinards, mozzarella

… au marché : 100 g d'épinards frais - 100 g de nids de tagliatelles fraîches - 1 mozzarella di bufala Campana

… en épicerie : 1 filet d'huile d'olive - 1 pincée de gros sel - 1 mini-pincée de sel

casserole - passoire - petit couteau pointu - planche à découper - bol - saladier - fourchette

Mettre une casserole d'eau salée (au gros sel) à bouillir avec un filet d'huile d'olive pour éviter que les pâtes ne se collent.

Équeuter et laver les épinards à grande eau. Les placer dans le panier à vapeur pour 5 mn de cuisson (niveau d'eau 1). Jeter le jus de cuisson et transvaser les épinards dans le mixeur. Donner une impulsion.

Mettre les tagliatelles dans la casserole d'eau bouillante et les laisser cuire 2 mn (si elles sont fraîches, sinon 8 mn) et couper la mozzarella en petits dés.

Égoutter les tagliatelles dans une passoire, bien les mélanger dans un saladier avec les épinards. Y ajouter les petits dés de mozzarella.

On « tournicote » avec une fourchette pour faire 2 ou 3 jolis nids que l'on dispose sur l'assiette.

GOOD POINT : On choisit la mozzarella de Campanie qui provient de la région de Lazio au sud de Rome, où vivent les buffles, au lait gras et riche en protéines.

THE MORE TO LOVE IT :
Garder des mini-pousses d'épinards crus
pour en « tapisser » les nids…

SUNNY DAYS

repas de printemps
ou d'été

Caviar d'aubergine

Fondue de tomate à notre façon

Tomate sur tomate

Soupe et billes de melon

Purée de petits pois et leurs cosses

Purée de haricots verts au serpolet

Velouté de printemps

Asperges vertes en fin velouté

Caponata – œuf mollet

Œuf de caille à la basquaise

Œuf à la coque et pois gourmands

Gaspacho andalou

Flan de courgette

Artichaut feuille à feuille

Les 4 saisons des purées et des cocottes

Caviar d'aubergine

… au marché : ½ petite aubergine - ¼ de poivron doux rouge - ¼ de poivron doux vert - 3 ou 4 feuilles de basilic

… en épicerie : 1 c. à c. d'huile d'olive

ciseaux - bol - planche à découper - petit couteau pointu

Laver les feuilles de basilic sous l'eau courante, les « ciseler » menu aux ciseaux, et les mettre en attente. Laver les 2 poivrons, trancher les queues, enlever cœur et pépins, les couper en 4.

Découper un quart des poivrons rouge et vert en « brunoise », très petits dés. Laver l'aubergine, couper ses extrémités, l'éplucher à l'économe, et la couper en 2. Garder une moitié et la couper en petits dés.

Mettre poivrons et aubergine dans le panier à vapeur pour 15 mn de cuisson (niveau d'eau 3).

Jeter le jus de cuisson et transvaser les légumes dans le mixeur. Donner 1 impulsion.

Mélanger avec le basilic ciselé et l'huile d'olive avant de servir.

GOOD POINT : *Un goût méditerranéen. Le parfum du basilic. La saveur de l'huile d'olive (source de vitamine E et d'acides gras essentiels). Les couleurs des légumes du soleil : le violet luisant de l'aubergine, riche en fibres et en potassium ; le rouge et le vert brillants des poivrons, riches en vitamines A et C…*

THE MORE TO LOVE IT : *Utiliser le reste des légumes pour les grandes personnes : la demi-aubergine dans une ratatouille.*

Et les trois quartiers des poivrons ? En poivrons à l'huile.

Fondue de tomate
à notre façon

… au marché : 1 tomate « morphe » - 2 feuilles de basilic (4 feuilles à 12 mois)

… en épicerie : 1 fin filet d'huile d'olive - 1 pointe de concentré de tomate (1 c. à c. à 1 an) - quelques glaçons

pour les + de 1 an : ¼ d'oignon nouveau - ½ gousse d'ail nouveau de Toulouse - 1 mini-pincée de sel

petit saladier - petite casserole - planche à découper - petit couteau pointu - écumoire - papier cellophane

Remplir le saladier d'eau avec les glaçons, et faire bouillir de l'eau dans la casserole.

Laver le basilic sous l'eau courante, l'effeuiller, et « concasser » ses feuilles à la main.

Pour les 6-12 mois : enlever au couteau le pédoncule de la tomate, et la « monder » (on la plonge 20 secondes dans l'eau bouillante, puis dans le saladier, on l'égoutte et on la pèle). La couper en 2, enlever ses pépins à la main, et la placer dans le panier à vapeur. Cuire 10 mn (niveau d'eau 2). Jeter le jus de cuisson. Transvaser dans le mixeur. Ajouter le concentré de tomate pour relever la couleur. Donner 1 impulsion. Ajouter le basilic, donner 1 seconde impulsion : on obtient une farce un peu granuleuse. Disposer dans l'assiette, et verser un filet d'huile d'olive.

Pour les + de 1 an : enlever la 1re peau de l'oignon, en couper un quart à l'émincer finement avec la ½ gousse d'ail, pour les ajouter au panier à vapeur. Garder tout le basilic pour en parsemer la fondue dans l'assiette, à refroidir quelques minutes au réfrigérateur, sous papier cellophane, avant de saler légèrement.

Tomate sur tomate

On ajoute aux ingrédients de la fondue de tomate (p. 69)

… au marché : 1 tomate « Cœur-de-bœuf »
… en épicerie : quelques grains de fleur de sel - ¼ de tour du moulin à poivre blanc

saladier - petite casserole - planche à découper - torchon - couteau à dents - papier cellophane

Une version jours de fête de la fondue de tomate.

Préparer d'abord la fondue, et la mettre en attente sous un papier cellophane. Puis enlever au couteau le pédoncule de la tomate « cœur-de-bœuf », fruitée et juteuse. la « monder » en la plongeant quelques secondes dans l'eau bouillante puis dans un saladier d'eau froide. Elle se pèle alors facilement.

Couper au couteau la tomate en fines tranches et les placer sur une assiette. Étendre dessus la fondue de tomate tiède, en une couche mince. Parsemer de quelques grains de fleur de sel et d'un soupçon de poivre blanc.

GOOD POINT : *La tomate, reine de l'été, légère, désaltérante, opulente en vitamines (C surtout), minéraux et oligoéléments. Cuite, bien mûre, sans peau ni pépins (irritants), elle convient dès 6 mois en potage puis en fondue ; crue, bien ferme, toujours sans peau, elle est réservée aux + de 1 an.*

THE MORE TO LOVE IT : *On peut utiliser la tomate « cœur-de-bœuf » comme un joli contenant pour la fondue : on la pèle, on lui découpe un chapeau et on vide sa pulpe à la cuillère. Puis on « farcit » l'intérieur avec la fondue de tomate tiède.*

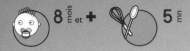

Soupe et billes de melon

 - au marché : 1 petit melon frais bien mûr, philibon, ou de Cavaillon -
2 feuilles de menthe fraîche

ciseaux - petit couteau - fourchette - c. « à pomme parisienne » - bol

Passer le melon sous l'eau courante, le couper en 2,
enlever ses grains à la cuillère.

Passer sous un filet d'eau les feuilles de menthe,
les ciseler aux ciseaux.

Prendre la première moitié du melon, la couper
en 2 quarts.

En peler un au couteau, en le piquant avec une
fourchette, et le couper en petits morceaux que l'on
place dans le mixeur. Donner 2 impulsions, en ajoutant
un peu d'eau faiblement minéralisée entre les deux
(environ 1 c. à s.), pour obtenir une soupe légère.

Dans la pulpe de la seconde moitié, creuser des petites
billes avec la cuillère « à pomme parisienne ». Les mettre
de côté dans un bol.

Verser la soupe de melon dans cette seconde
coque, ajouter les billes, puis la menthe.

GOOD POINT : *Rafraîchissante l'été, désaltérante avec son goût sucré, elle plaît dès le biberon. La menthe est précieuse pour la digestion (ou en cas de mal à la tête), et apporte ses vitamines (A et B). Le melon est bon contre les petites fatigues ; avec sa ribambelle de vitamines, dominées par la vitamine C, il rivalise avec le kiwi.*

THE MORE TO LOVE IT : *Pour les tout-petits, cette soupe de melon, sans la menthe et au biberon, s'avère précieuse quand il faut hydrater bébé. Pour les grands, on ajoute des fraises de Plougastel (en l'absence d'allergie) aux billes de melon et on dispose la soupe dans la coque posée l'été sur un lit de glace.*

Purée de petits pois
et leurs cosses

… au marché : 10 cosses de petits pois « du jardin » - 1 c. à s. de lait de suite

pour 1 enfant de 1 an : 15 cosses de petits pois « du jardin » - ½ oignon nouveau

… en épicerie : 1 noisette de beurre demi-sel - 1 petit croûton de pain (ou 2)

planche à découper - petit couteau pointu - bol - « chinois »

Pour les 10/12 mois : laver les cosses. En écosser la moitié, laisser les autres telles quelles. Placer ensemble les pois en cosse et les pois écossés dans le panier à vapeur. Cuire 15 mn (niveau d'eau 3). Récupérer le jus de cuisson dans un bol. Transvaser les pois cuits dans le mixeur. Donner 2 impulsions, pour obtenir une consistance bien lisse, en ajoutant le lait entre les deux.

Pour les + de 1 an : préparer les pois comme ci-dessus — en mettant 3 ou 4 grains crus de côté si on a le temps d'élaborer un décor… Placer les pois dans le panier à vapeur. Enlever la première peau de l'oignon, le couper en 2, et en « émincer » finement une moitié que l'on ajoute dans le panier. Cuire 15 mn (niveau d'eau 3).

Récupérer le jus de cuisson dans un bol, et transvaser les oignons dans le mixeur. Donner 2 impulsions, en ajoutant un petit peu de jus de cuisson entre les deux pour une purée onctueuse. Pour un velouté, mixer une 3ᵉ fois en ajoutant un peu plus de jus de cuisson jusqu'à obtenir une consistance fluide et homogène. Passer au « chinois » pour que le velouté soit bien lisse, et le mettre 10 mn au réfrigérateur pour lui garder sa jolie couleur verte…

En décor de la purée pour
les grands, on confectionne
un petit croûton fin en biseau
dans du pain rassis passé
au gril, et on le beurre avec
du demi-sel. On coupe en 4
(si, si !) les grains gardés
crus et on en parsème le croûton.
On place ces « petits bateaux »
sur le bord de l'assiette.

GOOD POINT : *Ces petits pois tendres et sucrés que l'on aime tôt
et vite… avec bonheur, car ils sont riches en glucides (énergie),
en protéines (construction de l'organisme) et en fibres (transit
alimentaire). Frais (bios) ou surgelés, ils peuvent être donnés en purée
dès 10 mois. Mais pas de pois entiers avant 3 ans, pour éviter
tout risque de « fausse-route » !*

THE MORE TO LOVE IT : *Aux « graines de gourmets », on sert la purée
avec un œuf brouillé sur lequel on coupe une feuille de coriandre
(au dernier moment)…*

THE MORE TO LOVE IT : *Dans les menus des « grands », la purée de haricots verts accompagne bien jambon, volaille et poisson. Seule ou en duo avec une autre purée pour ajouter couleur et saveur.*

Purée de haricots verts
au serpolet

… au marché : 40 g de haricots verts extra-fins - ½ pomme de terre BF 15 - 1 petite brindille de serpolet

pour un enfant de + de 1 an : 80 g de haricots verts extra-fins - ¼ d'oignon nouveau - ½ pomme de terre BF 15 - 1 brindille de serpolet

… en épicerie : 1 léger filet d'huile d'olive

planche à découper - économe - petit couteau pointu - torchon - bol

Pour les 6-12 mois : laver les haricots verts et les « équeuter ». Passer la pomme de terre sous l'eau, l'éplucher à l'économe, puis la laver avant d'en couper la moitié en morceaux. Laver le serpolet, le sécher au torchon. Placer le tout dans le panier à vapeur, et cuire 10 mn (niveau d'eau 2). Récupérer le jus de cuisson dans un bol. Transvaser dans le mixeur. Donner 2 impulsions en versant un peu de jus de cuisson entre les 2, afin d'obtenir la consistance désirée…

Pour les + de 1 an : avant la cuisson, ajouter aux légumes le ¼ d'oignon nouveau épluché et « émincé » fin au couteau. Cuire 10 mn. Jeter le jus de cuisson, et transvaser dans le mixeur. Verser un léger filet d'huile d'olive avant de mixer (2 impulsions). On renforce ainsi le goût de la purée de haricots verts, en complément du parfum du serpolet…

GOOD POINT : *La générosité du haricot vert en minéraux (potassium, magnésium, calcium, soufre, fer…), vitamines (C, A, et B9 ou acide folique…), et fibres tendres. Qui va de pair avec sa légèreté pour le système digestif, même tout jeune.*

Velouté de printemps

... au marché : 60 g de petits pois frais écossés - ½ oignon nouveau - 60 g de carotte fane nouvelle - 60 g de haricots verts extra-fins - 60 g de fèves de Nice
... en épicerie : 1 noisette de beurre - 1 mini-pincée de sel

petit couteau - planche à découper - économe

Laver les légumes sous l'eau courante. Enlever la 1ʳᵉ peau de l'oignon et en « émincer » finement une moitié. Écosser pois et fèves en enlevant aussi leur 1ʳᵉ peau (voir le « velouté de févettes » p. 106). « Équeuter » les haricots verts à la main. Éplucher la carotte à l'économe et la tailler en fines rondelles.

Placer oignon, pois, fèves, haricots verts et carotte dans le panier à vapeur. Cuire 15 mn (niveau d'eau 3).

Jeter le jus de cuisson et transvaser les légumes dans le mixeur.

Donner 3 impulsions, en ajoutant chaque fois un peu d'eau faiblement minéralisée, pour obtenir un velouté fluide. Goûter, assaisonner avec un peu de sel (et, plus tard, un tout petit peu de poivre blanc).

Verser dans l'assiette avec, au milieu, la noisette de beurre... à laisser fondre.

GOOD POINT : *Discrète, la fève ou « févette » cache bien son jeu : sa très grande richesse en glucides, protides, fibres, vitamines, B et C surtout (même consommée séchée). Les qualités de la fève, alliées aux protéines du petit pois (le plus dense des légumes verts) ; aux minéraux et fibres légères des haricots verts et à la saveur sucrée de la carotte. Une recette qui a du bon, et du goût ! À mettre et à remettre au menu...*

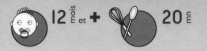
Asperges vertes
en fin velouté

repas
de printemps ou d'été

78

… au marché : 1 douzaine de petites asperges vertes, dites « asperges balais » - ½ oignon nouveau - 3 feuilles d'épinards en branches

… en épicerie : 1 mini-pincée de sel - 1 léger filet d'huile d'olive - quelques glaçons

planche à découper - petit couteau pointu - « mandoline » - « chinois » - bol

Enlever à la main les tiges des épinards ; brasser leurs feuilles dans plusieurs eaux, et les mettre en attente.

Enlever la 1re peau de l'oignon, le couper en 2, en « émincer » finement une moitié, et mettre en attente.

Laver une par une les asperges ; couper et jeter leur base terreuse et trop dure (2 cm). Enlever les folioles au couteau puis « émincer » les asperges. Les mettre avec le ½ oignon dans le panier à vapeur, et cuire 15 mn (niveau d'eau 3). Verser le jus de cuisson dans un bol.

Transvaser dans le mixeur les asperges et y ajouter les feuilles d'épinards crues.

Mixer, en ajoutant un peu de jus de cuisson entre chaque impulsion selon le résultat désiré : 1 impulsion pour une purée avec quelques morceaux, 2 pour une consistance plus homogène, 3 pour un velouté, qui sera parfait si on le passe au « chinois ». Goûter et saler si besoin avant de dresser dans l'assiette, et décorer d'un léger filet d'huile d'olive.

: Un velouté doux, simple et de saveur délicate,
dont les épinards viennent relever la couleur et le goût.

Une recette fraîcheur, à déguster froide en été, et diététique aussi :
c'est un trésor de vitamines et de minéraux ; de vitamines B et
de potassium, surtout. Elle a la fibre douce et généreuse, qui facilite
le transit alimentaire ; et l'action diurétique que chacun connaît.

: Réserver 2 pointes d'asperges à râper crues,
avec la « mandoline », en décor sur le velouté avant de le servir.
Pour que bébé découvre la saveur de l'asperge sous 2 aspects, le cuit et
le cru, en chaud et en froid.

Caponata – œuf mollet

 ... au marché : ½ aubergine - 1 tomate « olive » - 1 oignon nouveau - ½ poivron doux - 1 gousse d'ail nouveau - quelques feuilles de basilic et branches de persil plat - 3 grosses pincées de pignons de pin - 1 œuf « extra-frais » de poule élevée en plein air - 1 tranche de jambon blanc maigre, fine comme du prosciutto

... en épicerie : 1 léger filet d'huile d'olive - 1 mini-pincée de sel

planche à découper - petit couteau pointu - économe - ciseaux - casserole - écumoire

Laver les légumes sous l'eau courante.

Trancher la queue du poivron, le couper en 4, enlever cœur et pépins et en couper 2 quarts en petits cubes. Peler la tomate, la couper en 4, puis en petits dés.

Éplucher l'aubergine à l'économe, la couper en 2, prendre une moitié et la tailler en 3 ou 4 rondelles. Ôter la 1re peau de l'oignon et « l'émincer » finement avec l'ail, mais n'utiliser qu'une pincée de chacun, juste pour relever le goût de la caponata.

Placer les légumes préparés dans le panier à vapeur. Cuire 15 mn (niveau d'eau 3).

Laver les herbes sous l'eau courante, et les « ciseler » menu aux ciseaux, sauf une feuille de basilic... à garder pour le décor. Dégraisser au couteau le jambon et le disposer sur une assiette.

Cuire l'œuf façon « mollet » : faire bouillir de l'eau salée dans une casserole, y casser l'œuf, attendre 5 mn, le sortir avec l'écumoire pour le poser au cœur de la fine tranche de jambon que l'on va replier dessus comme un paquet cadeau dans l'assiette de bébé.

Lorsque les légumes sont cuits, jeter
le jus de cuisson. Transvaser dans le mixeur
en ajoutant herbes, pignons de pin et huile
d'olive. Mixer : donner 1 impulsion pour obtenir
une consistance « caviar » avec quelques petits
morceaux, 2 impulsions pour une consistance mousseuse.
Goûter, et saler (un peu) si besoin.

Disposer la caponata dans l'assiette, à côté de la tranche
de jambon cachant l'œuf mollet, et décorer de la feuille de basilic
pour jouer avec les couleurs.

GOOD POINT : *Un plat au goût subtil… et un menu à part entière.*
Pleinement équilibré avec les fibres et
le potassium de l'aubergine ; le calcium et
la vitamine K du persil ; les vitamines A et C
du poivron ; les protéines des pignons, excellents
pour l'effort intellectuel ; les protéines et
la vitamine B1 du jambon blanc.

Plus l'œuf, aliment presque complet…

THE MORE TO LOVE IT : *Délicieuse aussi*
servie froide les jours d'été.

2 ans et + **+** 20 mn

Oeuf de caille
à la basquaise

... au marché : ½ tomate « morphe » - 10 g de poivron rouge -
10 g de poivron vert - 10 g de poivron jaune - ¼ de gousse d'ail rose -
½ oignon nouveau - 2 œufs de caille

... en épicerie : 1 c. à c. de concentré de tomate - 1 noisette de beurre -
1 mini-pincée de sel - ¼ de tour de moulin de poivre blanc

petit couteau pointu - planche à découper - petite poêle antiadhésive

Couper les extrémités des poivrons et le pédoncule de la tomate.
Les laver sous l'eau courante et les couper en 4. Enlever
les pépins des poivrons et en « émincer » 10 g de chaque
(= 1 c. à s.) avec la ½ tomate. Enlever la 1re peau
de l'oignon et en « émincer » finement une moitié.
Placer poivrons, tomate et oignon dans le panier à
vapeur avec le quart de gousse d'ail et le concentré
de tomate par-dessus. Cuire 15 mn (niveau d'eau 3)
et jeter l'eau de cuisson. Transvaser dans le
mixeur, ajouter l'huile d'olive et mixer
(3 impulsions). Séparer la farce en 2 petits dômes
dans une assiette. Décalotter délicatement les œufs
de caille crus (avec la pointe d'un couteau)
comme des œufs à la coque. Faire mousser
une noisette de beurre dans la poêle,
l'assaisonner légèrement et y verser les
œufs pour les cuire au plat.
Les présenter sur les dômes.

GOOD POINT : *Un œuf de caille ? Oui ! Il a les mêmes saveurs que l'œuf de poule mais en plus subtil. Trois fois plus petit, avec sa coquille tachetée de brun, il offre vitamines A, B, D, E et K ; et il est une source précieuse d'acides aminés, essentiels à l'organisme.*

THE MORE TO LOVE IT : *Avec les œufs de caille, on peut faire des œufs « cocottes ». Dans un ramequin beurré, mettre 20 g de jambon blanc en dés, y casser 2 œufs dedans. Cuire 3 mn au bain-marie (ou à la vapeur) avant d'ajouter dessus un cordon de crème liquide.*

Oeuf à la coque
et pois gourmands

… au marché : 80/100 g de pois gourmands du Val de Loire - 1 petit morceau de parmesan frais (20 g) - 1 œuf « extra-frais » de poule élevée en plein air
… en épicerie : 1 léger filet d'huile d'olive - quelques gouttes de vinaigre

planche à découper - petit couteau pointu - économe - petite casserole - coquetier

Laver les pois gourmands, et les placer tels quels dans le panier à vapeur, pour 10 mn de cuisson (niveau d'eau 2). Pendant ce temps, « éplucher » à l'économe un morceau de parmesan frais pour en lever quelques copeaux et les mettre de côté.

Mettre à bouillir de l'eau (mais sans sel). avec une pointe de vinaigre Placer l'œuf entier dans une c. à s. que l'on dépose dans la casserole, pour qu'il cogne doucement le fond, sans se casser. Laisser cuire 3 mn 30, montre en main, avant de le présenter dans un coquetier sur l'assiette de bébé.

Lorsque les pois gourmands sont cuits, les couper en 2 dans le sens de la longueur (attention à ne pas se brûler !). Les disposer à côté de l'œuf sur l'assiette et les parsemer de copeaux de parmesan, avec un léger filet d'huile d'olive dessus. Les pois gourmands font ainsi office de mouillettes…

GOOD POINT : Une façon ludique d'ouvrir le goût de l'enfant à un légume vieux comme le Nouveau Monde d'où il vient. Les pois gourmands sont riches en vitamines A, B et C, en minéraux et en fibres.

L'œuf est l'aliment de référence de notre santé : sa coquille abrite à peu près tous les nutriments essentiels. Acheter des œufs dont l'emballage porte la bande rouge « extra-frais » avec la date du conditionnement : ils ont moins d'une semaine. Et ne pas les placer près d'un produit odorant : ils en prendraient le goût, car leur coquille est poreuse.

THE MORE TO LOVE IT : Les bébés acceptent bien le parmesan frais, parce qu'il a du goût, mais n'est pas trop fort.

SUNNY DAYS

repas
de printemps ou d'été

86

Gaspacho andalou

… au marché : 1/4 de petit concombre - 1 grosse tomate « morphe »
1/4 d'oignon blanc - 10 g de poivron rouge - 3 branches de basilic
1 côte de céleri - 1 gousse d'ail nouveau … **en épicerie :** 1 c. à c. de concentré
de tomate - 1 filet de vinaigre de xérès - et… 2 c. à s. de glace pilée

planche à découper - petit couteau pointu - économe - balance - « chinois »

Effeuiller le basilic. Passer sous l'eau courante ses feuilles,
le concombre, la tomate, le céleri et le poivron. Éplucher
le concombre et le couper en 4. Enlever le pédoncule de la tomate,
puis les fils de la côte de céleri (de la base vers le haut).

Évider le poivron de ses graines, y découper une tranche de 10 g.
Couper en morceaux le basilic, le 1/4 de concombre, la tomate, la côte
de céleri et la tranche de poivron. Éplucher l'oignon. En couper 1/4
en fins morceaux avec la gousse d'ail.

Placer le tout dans le mixeur. Ajouter le concentré de tomate et
la glace pilée. Bien mixer (3 impulsions) pour obtenir
une consistance homogène. Éliminer les grumeaux éventuels
en passant le gaspacho au « chinois ».

Ajouter un filet de vinaigre de xérès
pour enlever toute acidité et relever
légèrement de son parfum le gaspacho. Servir
frais… avec une lichette de pistou dessus,
les jours de fête.

GOOD POINT : *Recette fraîche et désaltérante, légère et fine en saveurs, d'une belle
densité nutritionnelle : concombre, tomate
et poivron sont de bonnes sources
de minéraux, d'oligoéléments et de vitamines
(C et A, surtout)…*

GOOD POINT : Une recette légère et complète, digeste et rafraîchissante, fondante sur la langue et douce au palais. Le calcium du fromage blanc et le phosphore de l'œuf font de bons os et de belles dents. La densité en minéraux et en vitamines de la courgette met en grande forme.

Flan de courgette

… au marché : 1 courgette violon (150 g environ) - 1 œuf « extra-frais » de poule élevée en plein air - 2 c. à s. de fromage blanc à 0 % - 1 noisette de beurre + du beurre pour le ramequin

planche à découper - pinceau - petit couteau pointu - fouet - petit saladier - ramequin - petit plat à gratin

Préchauffer le four à 150 °C (th. 3), sortir le beurre, beurrer le ramequin (de bas en haut avec le pinceau, pour que le flan monte facilement), et le mettre à refroidir au réfrigérateur.

Bien laver la courgette sous l'eau courante car on lui laisse sa peau pour donner de la couleur au plat. La couper en 4 dans le sens de la longueur. Si elle contient des pépins, les enlever à la cuillère. Mettre les morceaux dans le panier à vapeur, et cuire 5 mn (niveau d'eau 1).

Jeter le jus de cuisson, et transvaser dans le mixeur. Mixer pour une consistance homogène (2 ou 3 impulsions). Puis laisser reposer pour qu'elle tiédisse.

Battre l'œuf dans le saladier ; y ajouter le fromage blanc, la noisette de beurre, puis la courgette tiède. Mélanger énergiquement. Transvaser dans le ramequin jusqu'à mi-hauteur.

Faire tomber la température du four à 120 °C (th. 2). Verser un peu d'eau dans le plat à gratin, y placer le ramequin, et enfourner pour faire cuire le flan au bain-marie pendant 15 à 20 mn.

Vérifier que la cuisson est à point en enfonçant un couteau dans la préparation : si la lame ressort sans trace, le flan est prêt à la dégustation.

Artichaut
feuille à feuille

… au marché : 2 artichauts « camus » de Bretagne - ¼ de citron
… en épicerie : 15 g de farine - 1 filet d'huile de noix

casserole - couteau - petite cuillère

Les jours de fête, on enjolive la recette de la purée d'artichaut (Ainsi fond fond fond… les artichauts p. 31) avec une présentation au succès garanti. Faire cuire un second artichaut entier (bien lavé, et la tige cassée à la main) dans un « blanc » bouillant : chauffer de l'eau dans une casserole avec 15 g de farine et le jus d'1/4 de citron, et quand elle bout, y placer l'artichaut, pour 20 mn de cuisson sans couvercle, pour lui garder sa couleur.

Pendant ce temps, préparer la purée du premier artichaut au BabyCook (p. 31).

Quand le second artichaut est cuit dans son blanc, enlever toutes les feuilles et retirer le foin à la petite cuillère.

Placer les feuilles tendres du cœur en pétales de marguerite autour du fond, que l'on remplit avec la purée d'artichaut avant de faire couler un fin filet d'huile de noix dessus.

GOOD POINT : L'artichaut sous toutes ses formes : le cœur fondant, les feuilles tendres et la purée en petits morceaux. Son goût se marie délicieusement avec la note sucrée et amère de la noix. Bonne pour le cœur, les vaisseaux sanguins et le cerveau de bébé (Oméga-3).

Attention : vérifier auparavant que bébé n'est pas allergique aux fruits à coque !

Les 4 saisons des purées
et des cocottes

GOOD POINT : *Une ronde de petits légumes nouveaux, tendres et frais. À servir en purée multi-saveurs aux pets, en dés multi-couleurs dans une mini-cocotte pour les plus grands. En sachant qu'ils font ainsi provision d'une farandole de minéraux, et de ces vitamines si fragiles…*

18 ^{mois} et +   25 mn

THE MORE TO LOVE IT : *Garder la peau des pommes de terre grenailles : elle donne un petit goût de plus et surtout des vitamines.*

Purée de légumes
de printemps

… **au marché :** 4 cosses de petits pois frais - 1 petite carotte « fane » - 1 navet « fane » - 1 oignon nouveau - 1 mini-fenouil « fane » - 1 artichaut violet de Provence - 10 cosses de févettes - 2 pommes de terre grenailles - 4 branches de persil plat
… **en épicerie :** 1 léger filet d'huile d'olive - 1 noix de beurre - quelques grains de fleur de sel - ¼ de tour de moulin à poivre blanc

planche à découper - économe - ciseaux - petit couteau pointu - bol

Passer les légumes sous l'eau avant de les éplucher les uns après l'autre, oignon compris, puis les laver. Les laisser entiers quand ils sont petits, sinon les couper en 2 ou 3.

Les petits pois sont à écosser. Les févettes aussi, en fendant avec l'ongle la peau qui est sous leur cosse, et en la pinçant avec les doigts pour sortir les févettes, que l'on coupe en 2.

L'artichaut se prépare en dernier. Couper sa tige à 2 ou 3 cm des feuilles, et l'éplucher avec la pointe du couteau.
Enlever à la main les premières feuilles de la base de l'artichaut, puis couper sa tête au tiers de sa hauteur. Placer tous les légumes (mais pas le persil) dans le panier à vapeur pour les cuire un bon quart d'heure (niveau d'eau 3).

Laver le persil, le « ciseler » aux ciseaux, et le garder en attente.

Tout est cuit ? Recupérer le jus de cuisson dans un bol, et transvaser les légumes cuits dans le mixeur. Mixer, au moins 3 impulsions pour une purée uniforme, en ajoutant un peu de jus de cuisson entre chaque impulsion.

Disposer dans l'assiette. Couler dessus un mince filet d'huile, parsemer de quelques grains de fleur de sel et du persil ciselé.

Purée de légumes d'été

 … au marché : 1 courgette fleur - 2 radis ronds rouges -
2 petites asperges vertes « fillettes » - 10 haricots verts extra-fins

La fleur jaune de courgette, c'est pour faire joli sur l'assiette
à la fin. La détacher et la découper au couteau, en « crête
de dragon » selon l'inspiration…

Préparer les légumes : les laver, les éplucher et les couper
en morceaux.

« Équeuter » les haricots verts ; couper le bout terreux des
asperges et ôter leurs folioles ; enlever au couteau les trognons
de la courgette, la couper en 2 dans le sens de la longueur.

Ajouter ces légumes à ceux de la Purée de printemps (voir p. 92)
pour la cuisson, le mixage, et la disposition dans l'assiette.
Mais finir le décor avec vos découpages de la fleur de courgette !

*GOOD POINT : Encore mieux que la Purée de printemps : l'été y ajoute
ses légumes de saison gorgés de soleil.*

*THE MORE TO LOVE IT : Faire réduire le jus de cuisson
dans une casserole, ajouter une noix de beurre, et napper au pinceau
avec ce mélange les légumes pour les faire briller,
dans une petite cocotte transparente… la « Cocotte d'été » !*

repas
de printemps ou d'été

94

Purée de légumes d'automne

... au marché : 1 petite tranche de potiron (30 g une fois pelée) -
1 branche de blette - 1 petite châtaigne (surgelée !) -
½ poire Martin sec - ½ pomme calville - 1 pomme de terre roseval -
1 oignon nouveau - ½ citron

... en épicerie : 1 petit filet d'huile d'olive - 1 noix de beurre -
quelques grains de fleur de sel - ¼ de tour de moulin à poivre blanc

saladier - planche à découper - petit couteau pointu - économe - bol

Préparer un saladier d'eau citronnée. Laver la blette et séparer
le blanc du vert (à garder pour un prochain repas). Éplucher
le blanc à l'économe, bien enlever tous les fils, avant de
le plonger dans le saladier.

Passer la pomme de terre sous l'eau, et l'éplucher à l'économe.
Enlever l'écorce de la tranche de potiron, ses pépins et sa partie
filandreuse. Enlever la 1ʳᵉ peau de l'oignon. Laver la pomme et
la poire, les éplucher, les couper en 2, et les épépiner. Laver
la châtaigne, inciser son écorce pour l'éplucher plus facilement,
et la couper en 2. Couper légumes et fruits en morceaux (tout doit
rentrer dans le panier à vapeur !) et mettre à cuire un bon
quart d'heure (niveau d'eau 3).

Verser le jus de cuisson dans un bol. Transvaser le contenu
du panier dans le mixeur. Donner 2 impulsions en ajoutant 2 c. à s.
de jus de cuisson pour obtenir une purée fluide ; ou 1 seule
impulsion avec 1 seule c. de jus pour une purée solide.

Disposer dans l'assiette. Ajouter une noix de beurre et un filet
d'huile d'olive, mélanger, goûter. Si besoin, assaisonner d'un peu
de fleur de sel et de très peu de poivre blanc.

Purée de légumes d'hiver

Aux ingrédients de la purée de légumes d'automne, ajouter :

... au marché : 1 salsifis - 5 ou 6 grains de raisin (du chasselas noir)

Procéder comme ci-dessus : laver, éplucher et couper les fruits et légumes de la purée de légumes d'automne.

Laver soigneusement le salsifis sous l'eau courante, pour le débarrasser de sa terre. L'éplucher à l'économe, le couper en bâtonnets de 4 à 5 cm de long, et le plonger dans l'eau citronnée (avec la côte de blette) pour qu'il reste blanc, avant de le cuire avec les autres légumes et fruits.

Servir avec 1 filet d'huile d'olive, la noix de beurre frais et très peu de sel et poivre. Ajouter les grains de chasselas (préalablement lavés) sur la Purée d'hiver.

GOOD POINT : Les saveurs de l'automne dans le verger et le potager. Auxquelles vont s'ajouter les goûts de l'hiver. Pour faire le marché, sentir et choisir, cuisiner et manger, au rythme des saisons...

BABY COLD DAY

repas...
d'automne et d'hiver

Velouté de lentilles et jambon séché

Purée de céleri et dés de jambon à l'os

Soupe de cocos

Chou-fleur dans tous ses états

Velouté de févettes

Crème d'épinards

Nuage et plumes d'endive

Petit pavé de bœuf et pommes coin de rue

Des goûts venus d'ailleurs :

Spécial Pytt-i-Panna

Roulé-boulé de viande à la suédoise

Petit couscous de légumes

Kefta d'agneau

THE MORE TO LOVE IT : *Pour varier le goût : enlever le jambon séché de la cuisson, le découper en fines lamelles dont on entoure des gressini… à tremper dans le velouté !*

Pour plus de croustillant encore, confectionner des petits croûtons « maison ». Prendre une tranche de pain de mie ; enlever la croûte au couteau ; découper la mie en tout petits dés à passer à la poêle (pour les dorer, pas les roussir !) avec un filet d'huile de pépins de raisin. Égoutter ensuite sur du papier absorbant…

GOOD POINT : *La lentille est le légume le plus riche en protéines après le soja, elle est aussi plus riche en glucides que les céréales, et contient 7 fois plus de fer que les épinards…*

18 mois et + • 20 mn

Velouté de lentilles
et jambon séché

 … au marché : 60 g de lentilles vertes du Puy - ½ branche de céleri - ½ carotte - 1 brindille de thym - 1 tranche de jambon séché (10 g) -

en épicerie : 1 tranche de pain de mie - 1 filet d'huile de pépins de raisin - 1 c. à s. de crème fraîche épaisse - 1 mini-pincée de sel

saladier - passoire - casserole - planche à découper - petit couteau pointu - économe - papier sulfurisé - poêle antiadhésive - papier absorbant - bol

La veille, préparer les lentilles : les laver soigneusement en les triant sur la paume de la main pour éliminer les petits cailloux. Les laisser tremper toute la nuit dans un saladier rempli d'eau pour qu'elles gonflent bien et soient plus moelleuses.

Le jour même, les sortir et les égoutter dans la passoire. Les « blanchir » : mettre une casserole d'eau sur le feu, et à ébullition, y plonger les lentilles 30 secondes. Les égoutter à nouveau.

Fendre la branche de céleri sur sa longueur. En laver une moitié, la couper en petits dés. Couper la carotte en 2, en laver une moitié, l'éplucher à l'économe, la couper en morceaux. Passer le thym sous l'eau et couper le jambon séché en petits dés.

Tapisser le fond du panier à vapeur de 2 couches de papier sulfurisé et y verser les lentilles. Ajouter les dés de carotte, céleri, thym et jambon séché. Cuire 15 mn (niveau d'eau 3). Récupérer le jus de cuisson dans un bol. Transvaser les légumes dans le mixeur. Mixer (3 impulsions) en rajoutant du jus de cuisson entre chaque impulsion pour obtenir un joli velouté. Ne pas lésiner sur les quantités de jus : la consistance d'origine est assez épaisse.

Verser le velouté dans une assiette creuse. Placer au milieu la crème fraîche. Plus, autour, des petits croûtons (voir ci-contre) si on raffine la recette. Servir aussitôt, pendant que la crème fond doucement…

repas COLD DAY d'automne et d'hiver

THE MORE TO LOVE IT : *La sauge relève bien le jambon, le lapin et le veau. On peut présenter du jambon d'Auvergne fumé à la place du jambon à l'os, pour un goût plus prononcé.*

Purée de céleri et dés de jambon à l'os

… au marché : ¼ de céleri-rave (80 g) - 1 grosse pomme de terre charlotte ou agria - ½ carotte - 1 petite poignée de haricots verts extra-fins - 1 petite feuille de sauge - 1 tranche (40 g) de jambon à l'os

- en épicerie : 1 c. à s. de lait de croissance - 1 mince filet d'huile d'olive - 1 mini-pincée de sel

planche à découper - petit couteau pointu - économe

Passer tous les légumes sous l'eau. « Équeuter » les haricots verts, et éplucher à l'économe pomme de terre, carotte et céleri-rave. Couper la carotte en 2 et en prendre une moitié, couper le céleri en 4 et en prendre un ¼. Couper les légumes en morceaux de taille égale, les passer sous l'eau et les mettre dans le panier à vapeur.

Cuire 15 mn (niveau d'eau 3).

Dégraisser la tranche de jambon, et la couper en petits dés.

Jeter le jus de cuisson et transvaser les légumes cuits dans le mixeur. Ajouter le lait et la feuille de sauge. Mixer pour obtenir une purée (3 impulsions).

La disposer sur une assiette, saler un tout petit peu (pour les grands), et faire couler dessus un fin filet d'huile d'olive. Coiffer le tout des dés de jambon.

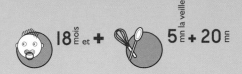

Soupe de cocos

… au marché : 100 g de cocos secs du Val Nervia - ¼ de carotte -
¼ d'oignon - ½ gousse d'ail
… en épicerie : 1 c. à s. d'huile d'olive

grand saladier - bol - passoire - économe - petit couteau pointu

La veille, préparer les cocos : les plonger dans le saladier rempli
d'eau, le couvrir d'un papier cellophane et le placer
au réfrigérateur. Laisser tremper toute la nuit pour
qu'ils gonflent bien et soient plus moelleux.

Le jour même, les sortir et les égoutter dans une passoire.

Laver la carotte, l'éplucher à l'économe et en couper ¼. Tailler
en petits dés, les laver. Enlever la première peau de l'oignon,
en émincer finement ¼. Dégermer l'ail (en enlevant le germe au
couteau) et le couper en 2 pour n'en prendre qu'une moitié.

Placer carotte, oignon et ail dans le panier à vapeur. Cuire 15 mn
(niveau d'eau 3).

Récupérer le jus de cuisson dans un bol et transvaser dans le mixeur.
Ajouter l'huile d'olive et donner 3 impulsions en prenant soin
d'allonger avec assez de jus pour obtenir une soupe fluide, et sans
grumeaux bien sûr.

*GOOD POINT : Très nourrissants, riches en protéines, vitamines
et sels minéraux, les haricots secs sont une excellente source
de potassium et d'acide folique, une bonne
source de magnésium et de fer, et
ils contiennent du cuivre,
du phosphore, du zinc,
de la thiamine, de la niacine
et de la vitamine B6…*

Chou-fleur
dans tous ses états

… au marché : 1 chou-fleur de Bretagne

… en épicerie : 3 ou 4 c. à s. de lait de croissance - 1 pointe de couteau
de curry (facultatif) - quelques gouttes de vinaigre blanc

bassine - petit couteau pointu - 2 petits casseroles - écumoire - bol

Brasser le chou-fleur sous l'eau, puis le laisser tremper quelques
minutes dans de l'eau vinaigrée. Couper les « grosses » têtes en 2
(ne laisser que 2 cm de départ de tige) et en placer 3 ou 4 dans
le panier à vapeur pour les cuire 15 mn (niveau d'eau 3).

Faire bouillir de l'eau dans une casserole, pour y plonger
30 secondes, « à l'anglaise », 3 ou 4 toutes petites têtes. Les
sortir à l'écumoire et les mettre de côté.

Mettre à chauffer, dans la seconde casserole, 3 ou 4 c. à s. de lait
selon la consistance désirée pour le velouté. Récupérer le jus
de cuisson dans un bol et en incorporer 2 c. à s. dans la cuisson
du lait chaud.

Transvaser les bouquets de chou-fleur cuits dans le mixeur. Ajouter
une minuscule pointe de curry si souhaité, et donner l'impulsion.
Verser le lait et donner 1 seconde impulsion.

Verser le velouté couleur crème dans une assiette creuse,
poser dessus les petites têtes croquantes, bien blanches.

GOOD POINT : Le jeu de découverte du chou-fleur sous sa forme cuite et (presque) crue. Un légume qui mérite d'être aimé, pour sa concentration en vitamine C et en micronutriments protecteurs, plus sa densité de fibres douces… mais surtout pour sa délicatesse.

THE MORE TO LOVE IT : Pour obtenir une purée de chou-fleur, d'une consistance adaptée au goût de bébé, on ajoute moins de jus de cuisson et moins de lait.

GOOD POINT : *Belle source d'énergie, très riche en glucides, fibres et protéines, tendre et digeste une fois cuite.*

Velouté de févettes

... au marché : 100 g de févettes de Nice - ½ pomme de terre BF 15 - ¼ d'oignon nouveau - ½ gousse d'ail nouveau - 1 brindille de sarriette (éventuellement)

... en épicerie : 1 c. à s. d'huile d'olive

planche à découper - petit couteau pointu - économe - bol - « chinois » éventuellement

Écosser les févettes : enlever leur cosse, puis fendre leur peau avec l'ongle et la pincer avec les doigts pour en sortir les févettes, que l'on va couper ensuite en 2. Passer la pomme de terre sous l'eau, l'éplucher à l'économe, et la laver. Couper une moitié en petits dés. Enlever la première peau de l'oignon et en « émincer » finement le quart. Couper la gousse d'ail en 2 et prendre une moitié. Placer févettes, pomme de terre, oignon et ail dans le panier à vapeur. Si on opte pour une purée, ajouter la brindille de sarriette. Cuire 10 mn (niveau d'eau 2).

Récupérer le jus de cuisson dans un bol et transvaser dans le mixeur.

Mixer : 2 impulsions pour une purée, 3 pour un velouté, en ajoutant, entre chaque impulsion, assez de jus de cuisson pour assouplir la consistance.

THE MORE TO LOVE IT : *Au début, remplacer le jus de cuisson par du lait de croissance : le velouté prend un petit goût sucré qui facilite la découverte de la févette...*

8 mois et + | 10 mn

THE MORE TO LOVE IT : *À partir de 2-3 ans, ajouter à la purée d'épinards (sans eau mais avec 1 c. à s. de crème fraîche) une mini pointe d'ail, d'échalote et quelques petits morceaux de tomate (sans peau et sans pépins) pour une préparation presque « à la florentine » !*

Crème d'épinards

... au marché : 200 g d'épinards frais

... en épicerie : 1 c. à s. de crème liquide

pour les grands : 1 mini-pincée de sel - ¼ de tour de moulin de poivre

torchon - spatule

Équeuter les épinards à la main et bien les laver sous l'eau courante. Les essuyer au torchon puis les placer dans le panier à vapeur pour 5 mn de cuisson (niveau d'eau 1).

Jeter le jus de cuisson et transvaser les épinards dans le mixeur. Verser un peu d'eau faiblement minéralisée sur les épinards, puis mixer une première fois (1 impulsion). Mélanger à la spatule entre les impulsions. Ajouter la crème et mixer une seconde fois (1 impulsion). On obtient alors une onctueuse purée à assaisonner légèrement pour les + grands.

GOOD POINT : *Le plein de fibres ! L'épinard stimule le transit intestinal tout en douceur. Avec son trio potassium, calcium et magnésium, il contient des antioxydants et des pigments (carotène, chlorophylle) qui favorisent l'assimilation de la vitamine C (à consommer en duo avec de la viande pour augmenter son assimilation). Il protège les petits vaisseaux sanguins.*

Nuage
et plumes d'endive

… au marché : 2 endives « perles du Nord » - 1 branche de persil plat - quelques gouttes de citron

… en épicerie : 2 c. à s. d'huile d'olive - 1 c. à s. de vinaigre balsamique - ¼ de tour de moulin à poivre blanc - 1 mini-pincée de sel

ciseaux - planche à découper - petit couteau pointu

Commencer par laver, effeuiller et « ciseler » le persil aux ciseaux. Laver minutieusement les endives, en enlevant au couteau le petit cône blanc (amer) à la base du trognon. Ôter les feuilles abîmées. Garder en réserve 6 à 7 belles feuilles crues, et les arrondir au couteau en coupant leurs angles inférieurs pour leur donner la forme de « plumes ».

Couper le cœur des endives en 2 dans le sens de la longueur. Les mettre à cuire, avec quelques gouttes de citron (pour leur éviter de noircir), 15 mn dans le panier à vapeur (niveau d'eau 3).

Confectionner une petite vinaigrette balsamique (sans la mélanger, pour avoir des bulles) avec l'huile, le vinaigre et le persil ciselé. Assaisonner légèrement.

Jeter le jus de cuisson, et transvaser les cœurs d'endives dans le mixeur. Mixer aussi légèrement que possible (1 impulsion). Placer ce « nuage » au cœur d'une assiette et verser la vinaigrette dessus. Puis disposer les « plumes » crues autour, en pétales…

GOOD POINT : Cuite et crue, dans les deux cas, les fibres de l'endive sont bien tolérées par le système digestif du jeune enfant. Une qualité qui s'ajoute à ses ressources en eau, minéraux et oligoéléments, et à sa teneur en acide folique (ou vitamine B9), prioritaire dans le développement du système nerveux…

THE MORE TO LOVE IT : *Ajouter sur le steak haché un œuf de caille ou un œuf de poule cuit « au plat » pour réaliser un steak à cheval ! Vérifier auparavant qu'il n'y a pas d'allergie aux fruits à coque.*

Et pour varier les plaisirs, couper les pommes de terre en petits dés et les passer à la poêle (comme sur la photo).

Petit pavé de bœuf
et pommes coin de rue

... au marché : 1 petite pomme de terre grenaille ou charlotte - 3 noix fraîches - 30 g de bleu d'Écosse - 1 c. à s. de crème liquide - 50 g de bœuf (queue de filet)

... en épicerie : 1 c. à s. d'huile d'olive - 1 noix de beurre

couteau aiguisé à lame lisse - 2 casseroles - écumoire - petite poêle - casse-noix

Découper la viande en dés assez gros que l'on place dans le mixeur. Donner 1 à 2 impulsions pour les hacher. Retirer et réaliser des petits palets dans le creux de la main.

Laver la pomme de terre, l'éplucher à l'économe et la couper en son milieu de façon oblique. Blanchir les deux moitiés dans une casserole en les mettant dans l'eau froide et porter à ébullition. Les retirer avec l'écumoire. Faire tiédir la poêle avec un filet d'huile d'olive puis y disposer les moitiés de pomme de terre. Dès qu'elles se colorent, ajouter la noix de beurre et réduire l'intensité du feu.

Pendant ce temps, réduire la crème dans une petite casserole: la chauffer à feu doux jusqu'à ce qu'elle frémisse. Délier avec un peu d'eau si elle vous semble trop épaisse. Décortiquer les noix et les placer dans le mixeur avec le roquefort en petits morceaux. Mixer (2 impulsions). Ajouter la crème réduite et mixer à nouveau (1 impulsion).

Quand les pommes de terres sont cuites (bien colorées), les disposer sur l'assiette et cuire dans la poêle encore chaude les palets de viande. Les disposer à côté, la sauce roquefort autour.

Des goûts venus d'ailleurs
Spécial Pytt-i-Panna

… **au marché :** 80 g de bœuf haché
gros au couteau - 1 tranche
de jambon fumé (20 g) - 2 pommes de
terre charlotte - ¼ d'oignon -
½ carotte - ¼ de betterave crue

… **en épicerie :** 1 c. à s. de crème
liquide

*planche à découper - économe -
petit couteau - bol*

Préparer la betterave crue :
la laver, l'éplucher et en couper ¼
en petits dés à garder en attente.

Préparer les autres légumes : les passer
sous l'eau, les éplucher, les laver.
Couper les 2 pommes de terre et la demi-
carotte en morceaux. Éplucher l'oignon et
l'émincer finement. Placer les légumes avec
le bœuf et le jambon dans le panier à vapeur.
Cuire 10 mn (niveau d'eau 2).

Jeter le jus de cuisson. Transvaser dans le mixeur.
Mixer légèrement (1 impulsion), pour garder des petits
morceaux. Verser dans un bol, y ajouter la crème.
Bien mélanger, disposer cette farce dans l'assiette,
et poser les dés de betterave crue dessus…

112

GOOD POINT : En Suède, le Pytt-i-Panna est LE « plat pour petits garçons » qu'ils adorent parce qu'il est tout en petits morceaux. Protéines du bœuf, glucides et fibres des légumes, calories du (petit peu de) jambon cru fumé, vitamine A de la crème : c'est bien une recette pour affronter le vent d'hiver !

THE MORE TO LOVE IT : En bœuf, choisissez de la tende de tranche ; hachée gros au couteau, surtout, pour que les morceaux ne s'échappent pas par les trous du panier à vapeur !

Des goûts venus d'ailleurs

Roulé - boulé de viande à la suédoi...

... au marché : 40 g de bavette de bœuf - 40 g de poitrine de porc, assez maigre - 1 œuf « extra-frais » de poule élevée en plein air - 1 c. à s. de crème fraîche épaisse - 2 noisettes de beurre - 1 grosse pomme de terre bintje - ¼ d'oignon « paille »

... en épicerie : 2 c. à s. de lait de croissance - 1 mini-pincée de sel - ¼ de tour du moulin à poivre blanc

petit couteau - planche à découper - bol - fourchette - c. en bois - papier cellophane - économe - 2 petits saladiers - poêle antiadhésive

Préparer la farce : mettre les morceaux de viande dans le mixeur, donner 2 impulsions. Éplucher l'oignon, en émincer ¼ et l'ajouter, avec le lait, à la farce. Casser l'œuf dans un bol, le battre à la fourchette, et en verser uniquement la moitié dans le mixeur. Assaisonner très légèrement.

Mixer pour obtenir une farce bien homogène : 1 impulsion (ou 2, en remuant entre les deux). Transvaser dans un saladier, recouvrir de cellophane, laisser reposer 15 mn au réfrigérateur.

Laver le mixeur, et préparer l'accompagnement : passer la pomme de terre sous l'eau, l'éplucher à l'économe, la laver, la couper en petits morceaux que l'on met dans le panier à vapeur. Cuire 10 mn (niveau d'eau 2). Jeter le jus de cuisson. Transvaser dans un saladier, écraser à la fourchette, ajouter la crème et une noisette de beurre pommade. Mélanger. Laisser au chaud.

Sortir la farce du réfrigérateur et façonner 4 ou 5 petites boulettes, de la taille d'un marron, dans la paume de la main. Chauffer la poêle avec une noisette de beurre. Dès que cela mousse, y placer les boulettes et les faire dorer sur toutes leurs faces.

Disposer les boulettes dans l'assiette. À l'aide de 2 c. à s., confectionner 2 quenelles de « pommes purée » en décor.

GOOD POINT : *Le « Kött Bullar » (prononcez « schott boullar » !) est la recette de week-end en Suède, qui régale les enfants en automne et les réchauffe en hiver. Rien d'étonnant, avec autant d'atouts : elle est hyper-protéinée (bœuf et porc, fournisseurs aussi de fer), multivitaminée (laitages), énergétique (glucides de la pomme de terre) ; avec l'œuf, aliment complet, en prime…*

THE MORE TO LOVE IT : *On n'escamote pas le séjour de la farce au réfrigérateur ! C'est ce qui permet aux boulettes de se façonner facilement et de ne pas tomber en miettes dans la poêle. Pour gagner du temps, on demande au boucher de hacher les viandes au couteau, assez fin, devant soi, le jour même.*

Des goûts venus d'ailleurs
Petit couscous de légumes

... au marché : 20 g de carotte « sable » - 20 g de haricots verts extra-fins - 20 g de courgette - 20 g de navet - 20 g de céleri-rave - 1 branche de coriandre - 2 feuilles de menthe - 20 g d'agneau haché (épaule, collier ou gigot) - 20 g de blanc de poulet fermier haché

- en épicerie : 30 g de semoule à couscous moyenne - 1 petite c. d'huile d'olive - 1 noix de beurre

plat creux - papier cellophane - planche à découper - petit couteau pointu - saladier

Mettre la semoule dans le plat creux, verser de l'eau chaude à hauteur (à ras de la semoule), recouvrir de papier cellophane, et la laisser gonfler doucement.

Laver tous les légumes et la branche de coriandre (mais pas la menthe), les éplucher, les couper gros, et mettre les morceaux à cuire dans le panier à vapeur 10 mn. Jeter le jus de cuisson. Ajouter les viandes hachées et cuire 5 mn supplémentaires.

« Concasser » les feuilles de menthe à la main. Puis retirer à la fourchette la semoule du plat creux pour l'égrener (séparer les grains) dans le saladier ; y ajouter le beurre, l'huile d'olive, la menthe. Mélanger légèrement, et laisser en attente.

Lorsque la viande et les légumes sont cuits, jeter le jus de cuisson et transvaser dans le mixeur. Donner 1 impulsion, pour garder des morceaux, 2 s'ils sont trop gros.

Tapisser de semoule l'assiette, y creuser un petit puits,
et y verser le mini-ragoût du couscous.

GOOD POINT : *Le prix d'excellence de l'équilibre en nutrition :
protéines animales des viandes, protéines végétales des légumes
(l'ensemble devrait couvrir la gamme des acides aminés essentiels),
glucides de la semoule de blé. Un menu à lui seul.*

12 mois et +   20 mn

Des goûts venus d'ailleurs
Kefta d'agneau

… au marché : 80 g d'agneau (épaule, collier ou gigot) -
1 branche de coriandre - ¼ d'oignon « paille » - 1 pomme de terre BF 15
(de taille moyenne)

… en épicerie : 1 pointe de cumin en poudre - 1 filet huile d'olive -
1 c. à c. de concentré de tomate

*planche à découper - petit couteau pointu - petit saladier - papier cellophane -
économe - petite casserole - c. en bois*

Laver la coriandre sous l'eau courante et l'effeuiller. Éplucher
l'oignon, le couper en 4 et en tailler ¼ en petits dés.

Découper la viande d'agneau en gros morceaux et les mettre dans
le mixeur. Ajouter l'huile d'olive, les dés d'oignon, la coriandre
et le cumin. Donner 3 impulsions, pour obtenir une farce bien
lisse. Transvaser dans le saladier, recouvrir de cellophane,
et laisser reposer au réfrigérateur.

Préparer la sauce : passer la pomme de terre sous l'eau,
l'éplucher à l'économe, la laver, la tailler en petits dés. Mettre
la casserole sur feu très doux. Et y faire « suer » 30 secondes
les dés de pomme de terre dans un filet d'huile d'olive, sans

laisser colorer. Mouiller d'eau à hauteur des dés de pomme de terre, ajouter le concentré de tomate, laisser épaissir sur petit feu en remuant doucement : la sauce va prendre une belle couleur rouge. Arrêter le feu.

Façonner les boulettes d'agneau. Sortir la farce du réfrigérateur et la rouler en 5 à 6 boulettes de la taille d'une cerise dans le creux de la paume. Jeter les boulettes dans la sauce, pour qu'elles cuisent 6-7 mn à feu doux. Et servir ce beau ragoût bien rouge.

GOOD POINT : *La découverte d'une épice, le cumin, qui éveille de sa saveur (chaude) l'agneau (tendre et parfumé). Voilà qui stimule l'œil et les papilles, la curiosité et l'imagination.*

BABY HAPPY DAYS

repas de fêtes...

Coquilles Saint-Jacques en tartare

Bœuf Strogonoff

Bar au fenouil

Quenelles de poisson blanc, sauce champignons

Craquelins de veau aux petits Paris

Socca niçoise

Dinde en beurrée de choux

Gratin de potiron au jambon

Gnocchi à la ricotta

Rouelles de sole aux épinards

Blettes à la crème en gratin

Saumon au vert de blettes façon brandade

Coquilles Saint-Jacques
en tartare

… au marché : 2 belles Saint-Jacques d'Erquy - 1 brin de ciboulette - 1 échalote rose de Jersey

… en épicerie : 1 ou 2 petits cornichons croquants - ½ c. à c. de câpres - 1 léger filet d'huile d'olive - 1 mini-pincée de sel - ¼ de tour du moulin à poivre blanc

pinceau - petit couteau pointu - planche à découper - bol - spatule - saladier

Laver soigneusement les noix de Saint-Jacques, avec un pinceau, sous un léger filet d'eau. Laver les coquilles à grande eau.

Couper grossièrement les cornichons et l'échalote (dont on n'utilise qu'une pincée) les placer dans le mixeur avec les câpres. Donner 1 impulsion. Réserver ce mélange dans un bol. Ciseler finement la ciboulette au couteau, et la garder en attente.

Couper les noix de Saint-Jacques en petits morceaux et les placer dans le mixeur. Mixer (2 impulsions), en remuant entre les deux pour répartir les morceaux. Ajouter la ciboulette, plus le mélange de cornichons, câpres et échalote. Donner 1 autre impulsion.

Transvaser dans un saladier. Assaisonner (à peine, et en goûtant). Incorporer un filet d'huile d'olive. Mélanger.

Dresser des petits dômes de tartare au cœur des coquilles…

THE MORE TO LOVE IT : On peut remplacer les coquilles Saint-Jacques bretonnes d'Erquy par les normandes de Dieppe. Les noix de Saint-Jacques surgelées ne convenant pas pour un tartare, attention à les choisir très fraîches (vivantes, la coquille bien fermée, et sans odeur), et à les manipuler le moins possible, juste au moment de servir, car elles sont dégustées crues.

GOOD POINT : La saveur et la fermeté de leur chair, qui séduit l'enfant dans son approche des coquillages et crustacés, l'âge venu. Car leur teneur en iode peut provoquer des allergies chez un trop petit ; on attend ses 18 mois (au moins) et on commence par un banc d'essai.

Bœuf Strogonoff

... au marché : 1 grosse pomme de terre agria - ½ carotte - ½ tomate (moyenne) - 1 poignée de petits pois frais (ou surgelés) - ¼ d'oignon blanc - 80 g de bœuf haché gros au couteau

... en épicerie : 1 pincée de sel - 1 poignée de glaçons

pour les grands : ¼ de tour de moulin de poivre blanc - 1 mini-pincée de paprika

planche à découper - casserole - écumoire - petit couteau - économe - 2 saladiers - papier cellophane

Placer les glaçons dans un saladier, avec un peu d'eau. Mettre de l'eau à bouillir dans une casserole.

Laver les légumes sous l'eau courante, éplucher carotte et pomme de terre à l'économe, et peler la tomate, plus facilement après l'avoir trempée (20 secondes) dans l'eau bouillante puis dans le saladier d'eau glacée.

Couper en 2 la tomate et la carotte, prendre une moitié de chacune et les couper en petits morceaux ainsi que la pomme de terre. Les laver et les placer dans le panier à vapeur. Enlever la 1re peau de l'oignon et en émincer finement 1/4 que l'on ajoute au panier. Cuire 15 mn (niveau d'eau 3).

Jeter le jus de cuisson, transvaser dans le mixeur et mixer légèrement (1 impulsion). Mettre en attente dans un saladier recouvert d'un papier cellophane.

Écosser les petits pois frais, et les cuire « à l'anglaise »
dans la casserole d'eau bouillante (et salée) ; les y plonger
30 secondes, les sortir à l'écumoire puis les tremper quelques
secondes dans l'eau glacée du saladier pour stopper la cuisson
en les gardant bien verts.

Mettre la viande dans le panier à vapeur (dont les trous devraient
être plus petits que les morceaux hachés par le boucher)
et la cuire 5 mn (niveau d'eau 1) afin qu'elle reste fondante.

Bien mélanger la viande avec la farce de légumes dans
un 2ᵉ saladier, puis disposer le tout dans l'assiette du jeune
convive. Assaisonner légèrement, et ajouter dessus, en décor,
les petits pois.

Pour éveiller les papilles des aînés, on ajoute une toute petite
pincée de paprika.

GOOD POINT : *Belle source de protéines (bœuf, petits pois),*
et de fer ! La viande de boeuf est l'une des meilleures sources en fer
(en zinc, et en vitamines PP et B12, aussi). À condition que la viande
soit hachée devant soi, et cuisinée dans les 3 h… Les petits pois,
choisis à cosses fermes, cassantes et veloutées, d'un vert intense,
sont riches en protéines et en glucides, pauvres en graisses.
Frais ou surgelés, ils sont une bonne source de fibres, de vitamines
A, C, B9, et de fer, eux aussi.

12 mois et + | 20 mn

Bar au fenouil

… au marché : 30 g de filet de bar de ligne - ¼ de fenouil bulbe - 1 petit bâton de fenouil sec - ½ tomate olive - 2 feuilles de basilic - 3 gouttes de citron

… en épicerie : 1 filet d'huile d'olive - 1 mini-pincée de sel - quelques glaçons

planche à découper - petit couteau pointu - 2 saladiers - petite casserole - c. en bois

Laver sous l'eau courante le fenouil bulbe, le couper en 4 et en émincer finement 1/4. Couper le filet de bar en fines lamelles.

Placer le poisson dans le panier à vapeur, poser dessus le bâton de fenouil sec et cuire 15 mn (niveau d'eau 3).

Confectionner une « sauce vierge » :

Remplir un saladier d'eau fraîche et de glaçons, et mettre de l'eau à bouillir dans la casserole. Laver la tomate, retirer son pédoncule, et la monder en la plongeant 30 secondes dans l'eau bouillante puis dans l'eau glacée avant de la peler : la peau s'enlève en un clin d'œil.

Laver le basilic, l'effeuiller, et découper grossièrement ses feuilles avec les doigts. Couper la tomate en 4, lui ôter ses pépins (avec le pouce), et couper 2 quarts en petits dés. Les mélanger dans un saladier avec l'huile d'olive, le sel, le basilic, 3 gouttes de citron (pas plus !). Et mettre en attente.

La cuisson terminée, retirer le bâton de fenouil sec et jeter le jus de cuisson. Transvaser dans le mixeur. Donner 2 impulsions. Disposer dans une assiette, arroser délicatement avec la vinaigrette aux dés de tomate.

GOOD POINT : *Des saveurs subtiles, qui affinent les papilles : la délicatesse du bar mise en valeur par le fenouil, cet « aneth doux » au goût d'anis, et la richesse en sodium et en calcium du fenouil, sec et frais.*

THE MORE TO LOVE IT : *Préférer un bar de ligne à un bar d'élevage. Le second est plus disponible sur le marché, mais sa chair est beaucoup moins tendre car… il n'a jamais vu la mer !*

Quenelles de poisson blanc
sauce champignons

Pour les quenelles

... au marché : 60 g de filet de poisson blanc : merlan, colin, sole ou brochet - 30 g de beurre - 1 œuf « extra-frais » de poule élevée en plein air - 1 c. à s. de crème liquide

... en épicerie : 1 mini-pincée de sel - ¼ de tour du moulin à poivre blanc

Pour la sauce

... au marché : 60 g de champignons de Paris - 1 échalote rose de Jersey - 1 brindille de thym - 2 c. à s. de crème liquide - 1 noix de beurre

... en épicerie : 1 mini-pincée de sel - ¼ de tour du moulin à poivre blanc

2 petits saladiers - papier cellophane - planche à découper - 2 petites casseroles - bol - 2 c. à s. ou à c. (selon la grosseur de quenelles voulue) - écumoire

Préparer la farce de poisson : mettre le filet de poisson dans le mixeur pour le hacher (1 impulsion). Ajouter le beurre, y casser l'œuf. Donner une 2e impulsion. Ajouter la crème, un peu de sel, très peu de poivre. Donner une 3e impulsion.

Goûter pour vérifier l'assaisonnement, rectifier si nécessaire. Transvaser dans un saladier, couvrir de cellophane, et mettre en attente au réfrigérateur. Laver le mixeur.

Confectionner la sauce maintenant : préparer les champignons en enlevant la partie terreuse à la base du pied, les laver 2 fois dans un bac d'eau fraîche, les couper en 2. Éplucher l'échalote, et l'émincer finement. Mettre une casserole sur feu très doux,

et y faire suer 30 secondes l'échalote et les champignons dans
la noix de beurre, sans laisser colorer. Ajouter la crème,
le thym, un peu de sel. Laisser cuire 5 mn. Enlever la brindille
de thym. Transvaser dans le mixeur. Donner 3 impulsions. Vérifier
l'assaisonnement et laisser en attente.

Pour façonner les quenelles, mettre de l'eau (un peu salée) dans
une casserole sur le feu, sans laisser frémir. Sortir la farce
de poisson du réfrigérateur et avec les 2 cuillères (à plonger
dans l'eau chaude pour éviter qu'elles ne collent à la farce),
façonner facilement des quenelles, petites ou grosses selon
les cuillères choisies. Avec l'écumoire, les plonger dans
la casserole d'eau chaude, en comptant 2 mn par côté pour bien
cuire les gros formats, puis les égoutter.

Dans une assiette creuse, déposer les quenelles blanches et
les napper de sauce champignons.

GOOD POINT : *Une initiation à la cuisine de chef. Avec une liberté
qui permet aux artistes de créer des quenelles fantaisie (façon « souris
blanches », par exemple !). Et l'assurance de donner les vertus
de la mer, même à ceux qui n'aiment pas le poisson : la quenelle qui
fond dans la bouche, ça plaît.*

THE MORE TO LOVE IT : *Peu importe le poisson choisi, pourvu
qu'il soit blanc, fin… et archi-frais. Demander à votre poissonnier
de lever les filets. Pour gagner du temps, on fait la farce et
la sauce la veille ; le jour même on façonne et on cuit les quenelles
sans oublier de réchauffer la sauce… juste avant le repas.*

Craquelins de veau
aux petits Paris

… au marché : 30 g de longe de veau (élevé sous la mère si possible) - 2 branches de persil plat - 1 c. à c. de crème fraîche liquide - 2 œufs « extra-frais » de poule élevée en plein air - 1 noisette de beurre

… en épicerie : 1 bonne c. à s. de farine - 3 c. à s. de chapelure - 1 c. à s. d'huile de pépins de raisin - 1 mini-pincée de sel - ¼ de tour du moulin à poivre blanc

ciseaux - planche à découper - couteau - petit saladier - papier cellophane - 3 bols - fourchette - poêle antiadhésive

Préparer la farce. Laver le persil, l'équeuter et couper ses feuilles aux ciseaux. Tailler la viande de veau en petits dés. Les placer dans le mixeur avec le persil et la crème fraîche, et y casser un œuf entier. Mixer (3 impulsions), en remuant à la spatule entre chacune pour obtenir une farce très fine et compacte. Assaisonner (juste un peu). Transvaser dans le saladier, recouvrir de cellophane, laisser reposer 15-20 mn au réfrigérateur pour que cette farce se façonne facilement.

Aligner 3 bols. Dans le 1er, verser la farine ; dans le 2e, casser le second œuf et le battre à la fourchette ; dans le 3e, verser la chapelure.

Sortir la farce et la façonner en petits palets dans la paume de la main. Avec une fourchette, piquer chaque palet pour le tremper tour à tour dans la farine, puis l'œuf et enfin la chapelure en tapotant chaque fois la fourchette contre le bol pour enlever l'excédent. Laisser les palets en attente.

Mettre la poêle à chauffer sur feu moyen avec la noisette de beurre et la c. à s. d'huile de pépins de raisin. Dès que cela mousse, réduire le feu et faire dorer les palets sur toutes leurs faces. Les craquelins sont prêts à être croqués… À servir avec une purée de petits Paris (voir p. 55)

 18 mois et + 15 à 20 mn

Socca niçoise

 ... en épicerie : 40 g de farine de pois chiches - 1 filet d'huile d'olive
petite casserole - verre doseur - fouet - petit plat à tarte

Préchauffer le four à 220 °C (th. 7).

Mettre 12 cl d'eau à chauffer dans une petite casserole.

Lorsqu'elle frémit, verser en pluie 40 g de farine de pois chiches
en fouettant énergiquement pour obtenir une pâte bien lisse. Laisser cuire
3 à 4 mn. Lorsqu'elle se décolle de la casserole, la placer dans le mixeur
avec un filet d'huile d'olive.

Mixer jusqu'à éliminer tout grumeau (3 impulsions). La disposer alors dans
un plat à tarte, et enfourner pour 5 mn...

GOOD POINT : *C'est tout simple et c'est
si bon... au palais et à la santé : le pois chiche
apporte énergie, protéines, glucides, fibres et
vitamines !*

THE MORE TO LOVE IT : *La réussite de
la socca se joue dans la cuisson : la pâte doit
être croustillante à l'extérieur et moelleuse à
l'intérieur...*

18 mois et + — 10 mn

THE MORE TO LOVE IT : On choisit un chou breton vert, frisé, bien pommé et, de préférence, le blanc d'une dinde « rouge des Ardennes » ou « noire » du Gers. La (toute petite) touche de lard paysan fumé est là pour relever le goût du plat.

Dinde en beurrée
de choux

... au marché : 1 petit chou breton vert frisé - 50 g de filet de dinde - 1 petite tranche de lard paysan fumé (20 g)

... en épicerie : 1 noisette de beurre - 1 mini-pincée de sel - ¼ de tour du moulin à poivre blanc - quelques gouttes de vinaigre

planche à découper - petit couteau - bol

Préparer le chou : retirer les feuilles extérieures (qui se détachent facilement), enlever le trognon au couteau et couper le chou en 4. Laver 1 quartier dans un bac à grande eau, avec quelques gouttes de vinaigre. Découper ses feuilles en lanières pas trop fines, à placer dans le panier à vapeur.

« Émincer » le filet de dinde et le lard, les ajouter au panier avec le beurre. Cuire 15 mn (niveau d'eau 3). Jeter le jus de cuisson.

Disposer dans l'assiette du bout de chou, assaisonner très légèrement de poivre et de sel (attention, il y a déjà le lard !), en goûtant pour rectifier si nécessaire, et servir tel quel.

GOOD POINT : On se forme le goût à 2 saveurs différentes, et 2 consistances, quand on découvre la surprise des morceaux de dinde cachés dans le moelleux du chou. Et on fait le plein de vitamine C (pour les défenses immunitaires), et de protéines, dans un vrai plat de grands.

Gratin de potiron
au jambon

… au marché : 150 g de potiron préparé (= 1 tranche moyenne) - 80 g de jambon blanc à l'os en 1 tranche épaisse (5 mm) - 20 g de parmesan frais - 1 belle noisette de beurre

… en épicerie : 3 bonnes c. à s. de lait de croissance… (ou de suite pour les 8-12 mois) - 1 mini-pincée de sel - ¼ de tour du moulin à poivre blanc

planche à découper - petit couteau pointu - râpe à fromage - bol - ramequin

GOOD POINT :
Douceur des goûts, harmonie des couleurs, jeu des consistances… L'alliance potiron-jambon a du bon. Mêlant les minéraux du potiron (richissime en potassium) aux protéines du jambon blanc, aussi bonnes que celles d'une viande rouge quand il est de qualité.

Dégraisser le jambon, et le couper en tout petits dés ; râper le parmesan (1 c. à s.) et les mettre tous deux en attente.

Préparer le potiron : le laver, enlever écorce et pépins, couper sa chair en morceaux, à mettre directement dans le panier à vapeur avec 1 mini-pincée de sel, pour 15 mn de cuisson (niveau d'eau 3).

Préchauffer le four en position « gril ».

Récupérer le jus de cuisson dans un bol, placer le potiron cuit dans le mixeur avec le lait et le beurre. Mixer jusqu'à obtenir une consistance lisse et fluide (3 impulsions), en ajoutant, si nécessaire, un peu de jus de cuisson (moins d'1 c. à s.). Transvaser dans le saladier. Ajouter les dés de jambon, un peu de sel, très peu de poivre et bien mélanger. Verser dans le ramequin et saupoudrer avec le parmesan râpé.

Enfourner, pour un joli gratin aux couleurs du soleil (10 mn).

GOOD POINT : La ricotta est faite à partir du lait de chèvre ou de brebis de la région de Campanie. Elle entre dans des desserts comme la Pasteria, tarte truffée de fruits confits que l'on confectionne pour Pâques à Naples. La noix de muscade, elle, nous vient d'Indonésie où elle est connue pour ses propriété sédatives (2 gouttes d'huile de noix de muscade dans un lait chaud !).

THE MORE TO LOVE IT : Mettre un peu plus de sel quand l'enfant grandit. Et quand il approche de ses 3 ans, ajouter un soupçon de poivre. On peut remplacer la ricotta par du lait caillé de brebis, plus doux. Et servir avec une purée d'épinards (voir « purée d'épinards » p. 107).

Gnocchi à la ricotta

… au marché : 1 œuf « extra-frais » de poule élevée en plein air - 250 g de ricotta

… en épicerie : 35 g de farine - 1 c. à c. d'huile d'olive - 1 pincée de noix de muscade râpée - 1 pincée de fleur de sel - 1 soupçon de poivre pour les + grands

petite casserole - écumoire à grands trous (ou « araignée ») - petit couteau pointu - tasse ou bol

Pour préparer la farce des gnocchi, couper en petits morceaux le fromage et le placer dans le mixeur avec l'œuf, la farine, l'huile d'olive et la noix de muscade. Mixer (3 impulsions).

Avec une c. à c. préalablement trempée dans un bol d'eau chaude, disposer la farce en plusieurs petits gnocchi en forme « d'olives ». Pour les dessiner joliment, tremper la cuillère entre chaque geste.

Mettre sur le feu une casserole avec de l'eau. À ébullition, pocher les gnocchi dans l'eau frémissante 30 à 40 secondes avec l'écumoire ; ils sont à point lorsqu'ils remontent à la surface.

On les mange sans attendre, tièdes avec une goutte d'huile d'olive et une pincée de fleur de sel.

Rouelles de sole
aux épinards

… au marché : 2 filets de sole « petit bateau » - 150 g d'épinards frais - ½ citron

- en épicerie : 1 pincée de sel - 2 noix de beurre - quelques glaçons

planche à découper - film étirable - petit couteau à lame souple - saladier - casserole - écumoire - 2 piques en bois

Commencer par aplatir les filets de sole (sans les écraser !) : les recouvrir d'une feuille de film étirable, la mouiller légèrement, et appuyer dessus avec la lame du couteau, bien à plat.

Puis remplir le saladier d'eau fraîche et de glaçons, et mettre de l'eau salée à bouillir dans la casserole.

Équeuter les épinards (enlever leurs tiges) à la main et les brasser dans plusieurs eaux. Les faire blanchir 30 secondes dans l'eau bouillante, les sortir avec l'écumoire, puis les plonger dans l'eau glacée (pour conserver leur belle couleur verte). Les sortir et les presser délicatement entre les mains pour en extraire toute l'eau.

Saler et beurrer les filets de sole avec la lame du couteau. Placer les épinards en fine couche par-dessus et enrouler les filets. Une pique plantée dedans sera la bienvenue pour tenir le tout. Mettre les 2 rouleaux dans le panier à vapeur. Cuire 7 à 8 mn (niveau d'eau un peu au-dessus de 1). Puis les découper en rondelles.

Et voilà de belles spirales colorées ! Poser le demi-citron sur l'assiette, pour en presser 2 ou 3 gouttes en finition.

GOOD POINT : Un menu équilibré qui associe les acides gras essentiels d'un poisson blanc maigre, et la richesse en minéraux d'un légume vert. La sole fraîche est tendre (surgelée, elle est plus sèche), et l'épinard fond dans la bouche. Duo ludique pour faire accepter ce légume qui n'a pas toujours la cote…

THE MORE TO LOVE IT : Achetez une sole entière bien fraîche de petit format, et faites lever les filets par votre poissonnier.

Blettes
à la crème en gratin

... au marché : 2 côtes de blettes (bottes italiennes) - ½ citron sans pépin de Menton - 15 g de parmesan

- en épicerie : 1 c. à s. de crème fraîche liquide - 1 pincée de sel - ¼ de tour de moulin de poivre blanc

économe - petit couteau pointu - planche à découper - bassine - 2 casseroles - petits plats à gratin

Mettre de l'eau dans la bassine avec quelques gouttes de citron. Préchauffer le four en position gril.

Séparer le blanc du vert de la blette. Éplucher d'abord les côtes (le blanc) à l'aide d'un économe pour ôter tous les fils, les couper en petits cubes et les plonger dans la bassine (pour éviter qu'elles noircissent). Laisser quelques minutes et les placer dans le panier à vapeur. Cuire 15 mn (niveau d'eau 3).

Laver le vert sous l'eau courante et l'émincer en lanières. Porter, sur le feu, une casserole d'eau salée à ébullition. Y plonger le vert 3 ou 4 secondes, le sortir avec l'écumoire et l'égoutter en le pressant légèrement.

Dans la 2ᵉ casserole, mélanger sur feu doux les cubes de blanc (cuits à la vapeur) et le vert, en ajoutant la crème, le sel et le poivre. Quand c'est chaud, transvaser dans des petits plats à gratin, saupoudrer de parmesan et laisser gratiner 5 mn au four.

THE MORE TO LOVE IT : Remplacer, au gré des envies, le parmesan par du fromage râpé : comté ou cantal, beaufort ou abondance.

GOOD POINT : La blette est pourvue de fibres, et d'une richesse méconnue en vitamines C et bêta-carotène, en potassium et en calcium. Elle contient très peu de glucides mais apporte du fer. La plus réputée reste la petite blette de Nice.

HAPPY DAYS

THE MORE TO LOVE IT : *Remplacer le saumon par du cabillaud en clin d'œil à la « vraie » brandade du Midi.*

GOOD POINT : *L'union d'un « poisson des mers froides »,*
riche en acides gras essentiels,
et d'un légume de nos jardins, aux qualités méconnues.
À eux deux, ils sont une mine de minéraux précieux,
pourvue de vitamines qui permettent
de bien les assimiler.

Saumon
au vert de blettes façon brandade

... au marché : 80 g de filet de saumon sauvage - 1 grosse pomme de terre agria ou charlotte - 2 feuilles de blettes françaises - 1 brindille de thym - 1 gousse d'ail

... en épicerie : 2 c. à s. de lait de croissance - 1 c. à s. de chapelure - 1 noisette de beurre - 1 mini-pincée de sel

petit plat à gratin - planche à découper - petit couteau pointu - économe - casserole - écumoire - saladier - fourchette

Préchauffer le four en position « gril » et beurrer le plat à gratin.

Séparer le vert des blettes du blanc de leurs côtes (que l'on n'utilisera pas ici), laver le vert sous l'eau courante, et l'émincer en lanières ; passer la pomme de terre sous l'eau, l'éplucher, la laver, et la couper en petits dés. Mettre les légumes dans le panier à vapeur pour 10 mn de cuisson (niveau d'eau 2).

Verser le lait dans la casserole, y ajouter le thym et l'ail « en chemise » (dans sa gousse). Mettre sur feu doux. Quand le lait frémit, y placer le saumon, couper le feu, et laisser pocher pendant 5 mn, afin qu'il reste moelleux. Sortir le saumon avec l'écumoire, le déposer dans le saladier et l'émietter à la fourchette. Le laisser en attente.

Lorsque les légumes sont cuits, jeter le jus de cuisson, et les transvaser dans le mixeur. Donner 3 impulsions. Mélanger cette « farce » avec le saumon. Goûter, assaisonner si besoin d'une pointe de sel. Transvaser le mélange dans le plat à gratin et saupoudrer d'une petite pluie de chapelure, avant de laisser gratiner 5 mn au four.

SWEETS FOR BABY

dessert, goûter,
brunch, petit en-cas

Yaourts-shakes à la carte (5)

Langues de chat

Douceur de banane au miel

Granité de cerises

Granité de pastèque

Crumble fraises-rhubarbe

Fromage blanc aux noix

Madeleines

Compote de coing

Compote de pêches à la vanille

Petits gâteaux suédois à la cannelle

Cookies au chocolat

Mangue en hérisson et marmelade

Clafoutis aux cerises

Crêpes de la Chandeleur

Pancakes à la fleur d'oranger

Yaourts-shakes
à la carte

… à la base : 1 yaourt « spécial bébé » pour les 6-12 mois
ou 1 yaourt au lait entier après 1 an - 1 c. à s. de glace pilée

petit couteau - planche à découper - verre (incassable)

Yaourt-shake banane - fraise

... **au marché :** ½ grande banane, mûre -

À partir de 1 an : 1 dizaine de fraises gariguettes

... **en épicerie :** 1 c. à c. (environ) de sucre blanc en poudre

Laver les fraises, les équeuter et les couper en 2.

Peler la banane et la couper en rondelles. Mettre les fruits dans le mixeur. Mixer légèrement (1 courte impulsion).

Ajouter le yaourt, la glace pilée, le sucre. Donner 1 autre impulsion. Verser dans un verre, et servir.

GOOD POINT : Bon mariage en rose… test d'allergie à la fraise déjà fait bien sûr ! La consistance plaît : la banane est aimée des bébés. L'apport nutritionnel est riche : l'amidon et le potassium de la banane complètent la vitamine C de la fraise.

Yaourt-shake
fraise – kiwi

… au marché : 1 petit kiwi, mûr

À partir de 1 an : 1 dizaine de fraises gariguettes

… en épicerie : 1 c. à c. (environ) de sucre blanc en poudre

Laver les fraises, les équeuter et les couper en 2.

Laver et peler le kiwi, le couper en rondelles. Mettre les fruits dans le mixeur. Mixer légèrement (1 courte impulsion).

Ajouter le yaourt, la glace pilée et un peu de sucre. Donner 1 autre impulsion.

Goûter, rajouter éventuellement du sucre. Verser dans un verre, et servir.

GOOD POINT : *Un super concentré de vitamines, source de vitalité, où domine la vitamine C… Évidemment on a d'abord vérifié qu'il n'y a pas d'allergie à la fraise.*

Yaourt-shake framboise

... **au marché** : 10 g de framboises mûres

... **en épicerie** : 1 c. à c. (environ) de sucre blanc en poudre

Laver délicatement les framboises, puis les mettre dans le mixeur.
Mixer légèrement (1 courte impulsion).

Ajouter le yaourt, la glace pilée et un peu de sucre (très peu si
les framboises sont bien mûres). Donner 1 autre impulsion.

Goûter, rajouter éventuellement du sucre. Verser dans un verre,
et servir.

GOOD POINT : *Joli rose… et belle dose de vitamine C !*

Yaourt-shake cassis

... **au marché** : 2 c. à s. de grains de cassis

... **en épicerie** : 1 c. à c. (environ) de sucre blanc en poudre

Laver les grains de cassis, puis les mettre dans le mixeur. Mixer
légèrement (1 impulsion). Ajouter le yaourt, la glace pilée et
un peu de sucre. Donner 1 autre impulsion.

Goûter, rajouter éventuellement du sucre. Verser dans un verre,
et servir.

GOOD POINT : *On dit que le cassis a la particularité de garder
intacte sa vitamine C en toutes circonstances. Précieux pour l'hiver !*

Yaourt-shake figue-miel

... **au marché** : 1 belle figue violette de Provence, bien mûre

... **en épicerie** : 1 c. à s. de miel blanc du Gâtinais

Laver la figue, la peler, la couper en morceaux, à mettre dans le mixeur. Mixer (1 impulsion).

Ajouter le yaourt, la glace pilée et le miel. Donner 1 autre impulsion.

Verser dans un verre, et servir.

GOOD POINT : *Une recette d'automne, hyper-nourrissante, à réserver aux « sportifs » de 3 ans et + : la figue est très riche en sucre (et précieuse par ses fibres), le miel aussi.*

Langues de chat

… en épicerie : 80 g de beurre - 70 g de blanc d'œuf (environ 2 blancs de gros œufs) « extra-frais » de poule élevée en plein air - 65 g de farine tamisée - 80 g de sucre glace

petite casserole - c. en bois - saladier - papier cellophane - petit couteau pointu - plaque du four - feuille de silicone ou papier sulfurisé - bol

Faire fondre le beurre dans la casserole à feu tout doux. Verser dans le mixeur.

Ajouter le sucre glace et la farine tamisée. Donner 1 impulsion.

Ajouter petit à petit le blanc d'œuf. Donner 1 impulsion, ou 2 si nécessaire pour bien lisser la préparation.

La verser dans un saladier, couvrir de papier cellophane, mettre au réfrigérateur pour 10 mn.

Préchauffer le four à 200 °C (th. 6) ; et placer sur la plaque du four la feuille de silicone, ou de papier sulfurisé.

Lorsque la pâte a reposé, créer à l'aide d'une c. à c. des petits dômes en les espaçant sur la plaque de 5 à 6 cm environ.

Faire tomber la température du four à 170 °C (th. 4) et enfourner. Retirer au bout de 10 mn environ, quand les gâteaux se colorent sur les bords…

THE MORE TO LOVE IT : Les langues de chat accompagnent
aussi bien les desserts que les goûters d'enfants… en les trempant
dans un chocolat chaud « à l'ancienne » quand l'âge sera venu !

Douceur de banane
au miel

... **au marché :** 1 banane bien mûre - 1 yaourt ou petit-suisse « spécial bébé »

... **en épicerie :** 1 c. à c. de miel liquide pas trop parfumé (miel d'accacia)

fourchette - bol - spatule

Ôter la peau de la banane et la couper en morceaux que l'on place dans le mixeur. Donner 2 impulsions pour les petits bonshommes, 1 seule pour les plus grands.

Verser dans un bol. Ajouter le yaourt et la cuillerée de miel. Bien mélanger. C'est prêt !

GOOD POINT : *Une recette facile, source d'énergie. Miel et banane, duo très aimé des enfants !*

THE MORE TO LOVE IT : *On écrase la banane à la fourchette !*
Et peu à peu, on va en laisser des petits morceaux. Même si bébé n'a pas encore de dents, il se fera une joie de les « mâcher ».

154

Granité de cerises

GOOD POINT : *Recette légère et digeste, fraîche et sucrée ; dynamisante aussi, car la cerise a du tonus. Facile à réaliser et facile à manger… en prenant garde au jus qui tache ! On peut aussi étaler le granité sur le clafoutis aux cerises (p. 172) pour un effet « cru » sur « cuit » inattendu.*

… **au marché** : 200 g de cerises noires burlat - 2 ou 3 gouttes de citron

… **en épicerie** : 1 dl d'eau peu minéralisée - 10 g de sucre semoule

torchon - dénoyauteur - petit couteau pointu - petite casserole - c. en bois - fourchette - petit plat à rebord (long d'environ 10 cm)

Laver les cerises sous l'eau courante, les sécher au torchon, les équeuter puis les dénoyauter.

Les placer dans le mixeur et donner 1 seule impulsion, pour garder quelques petits morceaux de fruits.

Verser l'eau et le sucre dans la casserole ; mettre sur feu doux jusqu'à ébullition ; arrêter le feu, et mélanger dans ce sirop les cerises déjà mixées, en ajoutant 2 ou 3 gouttes de citron.

Verser le tout dans le plat à rebord, que l'on met directement au congélateur. 30 mn après (au minimum), le sortir, et gratter avec la fourchette pour obtenir les morceaux de granité recherchés.

156

Granité
de pastèque

… au marché : 1 tranche de pastèque - 2 ou 3 gouttes de citron

… en épicerie : 1 dl d'eau peu minéralisée - 10 g de sucre semoule

petit couteau pointu - petite casserole - c. en bois - fourchette - petit plat à rebord (long d'environ 10 cm)

Prendre la tranche de pastèque ; séparer la pulpe de la peau en ôtant bien les pépins, la découper en morceaux ; mixer (1 impulsion).

Verser l'eau et le sucre dans la casserole ; mettre sur feu doux jusqu'à ébullition ; arrêter le feu, et mélanger dans ce sirop la pastèque déjà mixée, en ajoutant 2 ou 3 gouttes de citron.

Verser le tout dans le plat à rebord, que l'on met au congélateur. 30 mn après (au minimum), le sortir, et gratter à la fourchette avant de servir, pour obtenir l'effet granité.

GOOD POINT : Un en-cas fraîcheur d'un joli effet, précieux pour hydrater en douceur les jours de grande chaleur avec la pastèque, hyper-riche en eau.

Crumble fraises-rhubarbe

… au marché : 160 g de fraises gariguettes bien mûres - 150 g de rhubarbe

… en épicerie : 230 g de sucre roux - 50 g de poudre d'amande - 50 g de beurre - 50 g de farine tamisée

3 petits saladiers - papier cellophane - bol - petit couteau pointu - papier sulfurisé - plaque de four - coupelle transparente

Placer le beurre (tendre), la poudre d'amande, la farine et 50 g de sucre dans le mixeur. Mélanger (2 impulsions) pour obtenir une pâte sablée. Transvaser dans un saladier, recouvrir de papier cellophane, laisser reposer 1 petite heure au réfrigérateur.

Laver le mixeur et préchauffer le four à 180 °C (th. 5).

Laver les fraises sous l'eau courante, les équeuter, les placer dans le panier à vapeur. Saupoudrer de 70 g de sucre. Cuire 10 mn (niveau d'eau 2). Verser le jus de cuisson dans un bol. Transvaser les fraises dans le mixeur. Y ajouter un petit peu de jus de cuisson. Mixer (1 impulsion) pour obtenir une marmelade ; verser dans un saladier ; mettre à rafraîchir 15 mn au réfrigérateur.

Laver les tiges de rhubarbe sous l'eau courante, et les éplucher (en tirant bien les fils pour les éliminer). Couper en petits dés, à placer dans le panier à vapeur avec le sucre restant (110 g). Cuire 15 mn (niveau d'eau 3). Garder 1 c. à s. de jus de cuisson, à joindre à la rhubarbe que l'on transvase dans le mixeur. Mixer (1 impulsion) pour obtenir une marmelade. Verser dans un saladier ; mettre à refroidir 15 mn au réfrigérateur.

Abaisser la température du four à 150 °C (th. 3). Placer une feuille de papier sulfurisé sur la plaque. Dessus, émietter en tout petits grains la pâte sortie du réfrigérateur. Enfourner pour 20 mn de cuisson. Laisser refroidir.

Dans la coupelle, superposer une couche de marmelade de fraises avec une couche de rhubarbe, renouveler l'opération puis parsemer sur le dessus les grains de crumble.

THE MORE TO LOVE IT :
Veiller à ce que le goût
sucré des fraises prédomine
sur l'acidité de la rhubarbe.
En variante, remplacer
les fraises par 160 g
de fraises des bois (mara),
ou 160 g de framboises.

THE MORE TO LOVE IT : *Pour redonner de la saveur aux noix séchées, mettre les cerneaux de noix à tremper quelques heures dans du lait. Le miel d'acacia est choisi pour sa finesse et la légèreté de son parfum. Le remplacer par de la cannelle en poudre (1 pointe de c. à c.) pour une saveur plus accentuée.*

Fromage blanc
aux noix

… au marché : 3 noix de Grenoble, ou 6 cerneaux de noix (séchées)
- 4 c. à s. de fromage blanc à 20 % de matière grasse - 1 pincée de sel

… en épicerie : 1 c. à s. de miel d'acacia

casse-noix - coupelle

Ouvrir les 3 noix, en sortir les 6 cerneaux.

Mettre 5 de ces cerneaux dans le mixeur pour les concasser
en « miettes » (2 impulsions).

Ajouter le fromage blanc. Donner 1 autre impulsion.

Disposer dans une coupelle, placer le dernier cerneau de noix entier
dessus… et couler un filet de miel.

*GOOD POINT : Aide à bâtir des petits costauds ! Parce que
les protéines animales du fromage blanc (et son calcium + son fer)
sont associées aux protéines végétales des noix (et leurs acides gras
essentiels). Et que les noix sont encore plus énergétiques sèches
que fraîches.*

À condition que l'enfant n'ait pas d'allergie aux fruits à coque.

15 mois et + **+** 45 mn

Madeleines

THE MORE TO LOVE IT :
*Remplacer le zeste de citron
par la pulpe d'une gousse de vanille
des îles, pour surprendre mon petit
« bec-fin ». Et que faire du blanc
d'œuf restant ? Des meringues…
le même jour bien entendu !*

… au marché : 2 œufs « extra-frais » de poule élevée en plein air + 1 jaune d'œuf

… en épicerie : 65 g de sucre semoule - 60 g de farine tamisée - 1 c. à c. de levure chimique - 75 g de beurre pommade - 1 pincée de sel - le zeste d'¼ de citron râpé - 1 noix de beurre et 1 c. à s. de farine pour le moule s'il n'est pas en silicone

râpe - 2 bols - petite assiette - saladier - papier cellophane - plaque et grile du four - moules à madeleines (en silicone) - film étirable

Préchauffer le four à 210 °C (th. 6). Râper la peau du quart de citron dans 1 petite assiette. Casser les œufs dans les bols : les 2 entiers puis le jaune du 3e dans l'un et, dans l'autre, le blanc non utilisé à mettre au réfrigérateur sous film étirable. Placer dans le mixeur le contenu du premier bol avec le sucre. Mélanger (1 impulsion). Ajouter la farine et la levure, mixer (1 impulsion), puis le beurre et le zeste de citron, mixer à nouveau (1 impulsion). Transvaser dans un saladier, recouvrir d'un papier cellophane, et laisser reposer 15 mn au réfrigérateur. Sortir la préparation du réfrigérateur pour en disposer 1 c. à s. dans chaque moule. Enfourner sur la plaque. Lorsque les madeleines commencent à gonfler, faire tomber la température du four à 160 °C (th. 4) et laisser cuire encore 20 mn. Sortir les madeleines du four, les démouler, les placer sur une grile pour qu'elles tiédissent… Et déguster !

GOOD POINT : Ce délice est un concentré de protéines animales (l'œuf) et végétales (la levure), de glucides (la farine), de vitamines A (le beurre), B (la levure) et C (le citron) : un goûter de champion ! Toute la qualité des madeleines tient à leur cuisson. À surveiller de près au début. Si on oublie de faire tomber la température du four à temps, elles gonfleront tellement qu'elles vont déborder de leur moule.

Compote de coing

... **au marché** : 1 coing un peu mûr - quelques gouttes de citron

... **en épicerie** : 1 c. à c. de sucre en poudre

planche à découper - petit couteau pointu - bol

Laver le coing, le peler, le couper en 4. Enlever son cœur et ses grains.

Passer ses quarts au jus de citron, pour éviter qu'ils noircissent, et les découper en petits dés.

Les placer dans le panier à vapeur, avec le sucre, et 2 ou 3 gouttes de citron. Cuire 15 mn (niveau d'eau 3).

Verser le jus de cuisson dans un bol et transvaser les dés dans le mixeur. Donner 3 impulsions, en ajoutant un peu de jus entre chacune, pour obtenir la consistance bien lisse d'une compote.

GOOD POINT : Par sa richesse en fibres douces, le coing est aussi précieux que le riz ou les carottes en cas de soucis intestinaux. Et plus apprécié par les gourmands puisqu'il n'est servi qu'en recettes sucrées... comme celle-ci.

THE MORE TO LOVE IT : On sert la compote de coing en dessert, et son jus de cuisson au goûter, au verre ou au biberon. Avec du pain d'épices pour les grands !

164

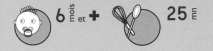

6 mois et + — 25 mn

GOOD POINT : *Une recette fraîche par temps chaud, avec des fruits cuits pour ménager le système digestif ; plus un duo de parfums exotiques, pour faire chanter le goût de la pêche : la vanille, de Madagascar ou d'Australie ; et, plus osé (mais à tester), le poivre de Malaisie, en note discrète qu'apprécient souvent les futurs gourmets…*

Compote de pêches à la vanille

THE MORE TO LOVE IT :
Avoir la main légère avec la vanille : elle doit soutenir le goût de la pêche, mais ne pas prendre le dessus. Et décliner cette recette avec d'autres fruits, la poire par exemple.

On peut aussi remplacer la pêche par de la pomme, et en garnir des petits chaussons en pâte feuilletée.

… au marché : 2 pêches jaunes d'Ardèche, à point

… en épicerie : 1 gousse de vanille des îles - 2 grains de poivre noir de Sarawak - 30 g de sucre semoule

petit couteau - 2 bols - morceau d'étoffe (lin, jute, étamine) - ficelle de cuisine

Préparer une petite bourse de tissu, y placer les 2 grains de poivre, et la ficeler. Laver les pêches sous l'eau courante et les peler. Couper chaque pêche en 4, enlever le noyau, et placer les morceaux de pulpe dans le panier à vapeur. Poser dessus la gousse de vanille et la bourse de poivre. Cuire 15 mn (niveau d'eau 3). Lorsque la cuisson est terminée, fendre au couteau la gousse de vanille, et en racler la pulpe (à la cuillère) : à garder en réserve dans un bol. Récupérer le jus de cuisson dans l'autre bol et retirer le poivre. Transvaser les pêches dans le mixeur et les saupoudrer avec le sucre et juste une pointe de la pulpe de vanille. Mixer (1 impulsion). Goûter pour vérifier que le goût de la vanille est suffisant : sinon, rajouter un soupçon de pulpe. Pour les plus petits, ajouter un peu de jus de cuisson, et donner 1 autre impulsion pour lisser la compote. Sinon servir… tiède ou froide, selon l'instant.

Petits gâteaux suédois
à la cannelle

166

… au marché : 1 c. à s. de cannelle en poudre - 1/2 c. à c. de clous de girofle en poudre - ½ c. à c. de gingembre en poudre - 100 g de beurre (sorti à l'avance) - 2 œufs « extra-frais » de poule élevée en plein air - 1/2 c. à s. de crème fraîche épaisse

… en épicerie : 1 c. à s. de farine tamisée - 2 c. à s. de sucre blanc en poudre

saladier - papier cellophane - feuille de silicone ou papier sulfurisé - plaque du four - emporte-pièce cannelé - planche à pâtisserie

Préparer la pâte : mettre dans le mixeur la farine, le sucre et le beurre (tendre). Donner 2 impulsions. Ajouter la crème et les épices ; y casser les œufs entiers ; donner 2 impulsions. Transvaser la pâte dans le saladier et recouvrir de cellophane. Laisser reposer 3 h environ au réfrigérateur.

Lorsque la pâte a reposé, préchauffer le four (à 200 °C, th. 6), sortir la plaque et placer dessus la feuille de silicone ou de papier sulfurisé.

Etendre la pâte sur la planche à pâtisserie, en 4-5 mm d'épaisseur.

La découper avec l'emporte-pièces et poser les gâteaux sur la feuille de silicone (ou sulfurisée).

Faire tomber la température du four à 180 °C (th. 5). Enfourner la plaque pour 15 mn de cuisson. Et laisser tiédir avant de goûter !

GOOD POINT : *Ronds et dentelés, fins et légers, les Mjut Pepparkakor (à prononcer « pepacoca ») sont les gâteaux préférés des enfants suédois. À leur goût « de bruyère de Scannie », ils ajoutent leurs vertus : la cannelle apaise le tube digestif ; le gingembre facilite la digestion ; le clou de girofle guérit les maux de dents et stimule l'appétit…*

THE MORE TO LOVE IT : En Suède,
on accompagne ces gâteaux secs d'un verre
de « Fläder Saft », sirop de sureau et
d'airelles, sucré et amer en même temps,
qui se boit très frais avec de l'eau…

GOOD POINT : *Pour les goûters d'enfants les jours où l'on s'emmitoufle jusqu'au bout du nez, une recette multiple qui se décline avec ou sans noix, avec ou sans chocolat (blanc ou noir), sans ni l'un ni l'autre, ou avec les deux !*

THE MORE TO LOVE IT : *Une recette à adapter selon les âges et les goûts (plus les éventuelles allergies aux fruits à coque). En l'accompagnant d'un « yaourt-shake » (p. 146) : ils vont si bien ensemble dans tous les cas.*

Cookiès au chocolat

… au marché : 90 g de noix de Macadamia - 2 œufs « extra-frais » de poule élevée en plein air

… en épicerie : 165 g de farine tamisée - 175 g de sucre roux en cassonade - 150 g de chocolat noir (ou blanc) - 115 g de beurre très mou - 1 c. à c. rase de sel fin

Plaque du four - feuille de silicone ou papier sulfurisé - bol - Planche à découper - petit couteau pointu

Sortir le beurre du réfrigérateur.

Préchauffer le four à 120 °C (th. 2), sortir la plaque du four et la recouvrir de la feuille de silicone ou de papier sulfurisé.

Placer les noix dans le mixeur (2 impulsions), et transvaser les « miettes » obtenues dans un bol.

Couper (concasser) de gros morceaux de chocolat au couteau.

Placer le beurre pommade en morceaux, le sucre et le sel dans le mixeur. Donner 2 impulsions. Y ajouter la farine et mixer (2 impulsions).

Ajouter les œufs et donner 2 impulsions encore. Placer cette préparation dans un saladier et mélanger avec les noix et le chocolat.

Avec cette pâte, on façonne, à la main, des petites boules de la taille d'une noix, que l'on aplatit légèrement avant de les poser sur la plaque. Enfourner et monter la température à 200 °C (th. 6) pour 15 mn de cuisson (environ).

Lorsqu'il sont dorés, les sortir et les placer aussitôt sur une assiette, pour qu'ils durcissent. Et… servir tièdes, avec le chocolat encore fondant, c'est si bon !

GOOD POINT : *Drôle à regarder, facile à réaliser, délicieuse à manger, légère à digérer, et bonne pour la santé : de la belle humeur sur toute la ligne !*

THE MORE TO LOVE IT : *Pourquoi une mangue jaune d'Asie du Sud-Est ? Parce qu'elle est plus parfumée ; et que parfum et consistance sont l'essence même de cette recette, qui peut se décliner en 2 desserts différents.*

 12 mois et + · 15 mn

Mangue en hérisson
et marmelade

… au marché : 1 mangue d'Asie du Sud-Est

… en épicerie : 1 peu de sucre, facultatif

torchon - papier absorbant - planche à découper - petit couteau pointu

Laver la mangue sous l'eau courante, l'essuyer au torchon, la couper en 2 dans le sens de la longueur, et en retirer le noyau.

Travailler une 1ʳᵉ moitié qui va devenir hérisson en quelques lignes de couteau et un jeu de pouces : avec le couteau, tracer dans la pulpe un quadrillage profond jusqu'à la coque de peau ; avec les pouces, retourner cette coque, ventre dehors… et le tour est joué !

La seconde moitié va devenir marmelade : la peler, couper sa pulpe en morceaux, à placer dans le panier à vapeur pour 10 mn de cuisson (niveau d'eau 2). Jeter le jus de cuisson et transvaser dans le mixeur. Mixer légèrement (1 impulsion) pour garder des petits morceaux fondants.

Goûter, et si besoin, saupoudrer d'un peu de sucre.

Placer le hérisson au cœur de l'assiette à dessert de bébé et disposer la marmelade autour.

Clafoutis
aux cerises

… **au marché** : 120 g de cerises noires burlat - 1 œuf de poule
« extra-frais » élevée en plein air + 1 jaune d'œuf - 1 noix de beurre

… **en épicerie** : 40 g de beurre doux - 80 g de farine - 30 g de sucre glace
- 10 g de poudre d'amande - 16 g de sucre blanc - 6 g de poudre à crème -
8 cl de lait de croissance - 1 c. à s. de farine

*verre doseur - torchon - dénoyauteur - 2 bols ou récipients - petite casserole -
saladier - fouet - c. en bois - papier cellophane - petit moule à tarte -
rouleau à pâtisserie - grill*

Sortir le beurre et préchauffer le four à 200 °C (thermostat 6).
Laver les cerises, les sécher et les dénoyauter.

Préparer la pâte : placer dans le mixeur l'œuf entier,
la poudre d'amande et le sucre glace. Mixer (1 impulsion), ajouter
le beurre tendre et mixer de nouveau (1 impulsion). Transvaser
la pâte dans un bol et la laisser reposer au réfrigérateur.

Préparer la crème pâtissière : faire chauffer le lait dans
la casserole à feu doux, jusqu'à frémissement.

Dans le saladier, mélanger le jaune d'œuf avec le sucre,
en fouettant énergiquement jusqu'à ce qu'il blanchisse.
Ajouter le lait chaud et la poudre à crème, bien mélanger.

Remettre le tout dans la casserole, toujours à feu doux,
en remuant bien à la cuillère jusqu'à ce que la liaison
se forme. Transvaser dans un bol, recouvrir d'un papier
cellophane et mettre en attente.

Beurrer et fariner le moule à tarte. Sortir la pâte du
réfrigérateur, et la travailler, un peu, au rouleau, pour
l'étaler plus facilement sur le moule. Disposer la crème dessus,
ajouter les cerises sur toute la surface.

Enfourner pour 25 mn de cuisson à 180 °C (th. 5).

Démouler dès la sortie du four, et placer le clafoutis sur une grille pour qu'il tiédisse… et servir sans attendre.

THE MORE TO LOVE IT : *Une recette à décliner : avec les quetsches en juillet (140 g de quetsches d'Italie ou d'Alsace), ou l'abricot en août (150 g d'abricots rouges du Roussillon à couper en 2 et à dénoyauter, que l'on place sur la crème avant de mettre au four).*

Ajouter une petite boule de glace vanille dessus, pour le plaisir…

Crêpes de la Chandeleur

… au marché : 1 œuf « extra-frais » de poule élevée en plein air

… en épicerie : 30 g de farine - 15 g de beurre - 8 cl de lait de croissance - un filet d'huile de pépins de raisin

poêle antiadhésive (« à crêpes » si possible) - pochon (petite louche) - papier absorbant - 1 assiette creuse - 1 assiette plate - torchon

Préparer la pâte : mettre la farine, le lait et le beurre dans le mixeur. Y casser l'œuf. Mixer (3 impulsions) et, si besoin, détendre la pâte avec 1 c. à s. d'eau peu minéralisée. Inutile de la laisser reposer.

Verser un peu d'huile dans une assiette creuse. Chauffer la poêle sur feu doux. La graisser ensuite avec du papier absorbant légèrement imprégné d'huile. Verser un pochon de pâte dans la poêle en l'inclinant de gauche à droite. Laisser dorer 1 minute. Retourner la crêpe (en la faisant sauter quand on gagne de l'aisance !), et laisser dorer l'autre face.

La faire glisser sur une assiette et la recouvrir d'un torchon pour éviter qu'elle ne se dessèche.

Répéter le scénario pour chaque crêpe.

THE MORE TO LOVE IT : *Tartiner les crêpes avec de la confiture de myrtilles ou de mûres, de la gelée de coing ou de la crème de marron, ou couler dessus un filet de miel, au gré des envies…*

GOOD POINT : *Glucides de la farine, vitamines B de la levure, alliance protéines-calcium-fer-acides gras essentiels du lait, et le tout-complet de l'œuf.*

THE MORE TO LOVE IT : *Ajouter une pincée de sel dans le blanc d'œuf pour qu'il soit bien serré. Et pour varier, remplacer la fleur d'oranger par du sucre glace en petite pluie ou du sirop d'érable.*

Pancakes à la fleur d'oranger

… au marché : 3 œufs « extra-frais » de poule élevée en plein air

… en épicerie : 3 c. à s. de sucre blanc en poudre - 250 g de farine tamisée - 4 cl de lait de croissance - 30 g de beurre fondu - 10 cl de crème fleurette - 1 c. à c. de fleur d'oranger - 1 mini-pincée de sel - 1 noisette de beurre

2 saladiers - fouet - batteur électrique - petite poêle antiadhésive - spatule en bois

Préparer la pâte : commencer par « clarifier » 2 œufs, en séparant les blancs des jaunes. Réserver les blancs dans un saladier et garder les jaunes pour une autre recette.

Placer dans le mixeur la farine, le sucre et le sel. Mixer (2 impulsions).

Dans un second saladier, fouetter vivement l'œuf entier. Ajouter la crème, le beurre fondu et le lait en continuant de bien mélanger. Verser petit à petit le mélange dans le mixeur en donnant une impulsion entre chaque ajout.

Transvaser dans le saladier.

Monter les blancs en neige (au batteur électrique c'est plus facile) et les incorporer délicatement à la pâte. Ajouter la fleur d'oranger et laisser reposer 1 bonne heure à température ambiante.

Pour la cuisson, faire chauffer la poêle, y déposer la noisette de beurre quand elle est bien chaude, et verser un peu de pâte : environ 4 fois l'épaisseur d'une crêpe.

La pâte va se colorer et monter. Laisser cuire 5 mn le pancake puis le retourner avec la spatule. Quand l'autre face est dorée (3 mn de cuisson environ), sortir le pancake et laisser glisser dans l'assiette de l'enfant.

Croustillant à l'extérieur, moelleux à l'intérieur…

LES BONS MOTS

en cuisine

L'interprétation BabyCook Book du nom des plats…

… pouvant être bus au biberon, ou mangés à la cuillère :

- **Bouillon (de brocoli) :** jus de cuisson fluide
- **Gaspacho (de tomate et concombre) :** soupe froide de légumes d'été
- **Lait (de rougette ou de laitue verte) :** bouillon, avec un ajout de lait
- **Soupe :** légumes cuits et passés, de consistance plus ou moins fluide
- **Velouté :** soupe lisse

… à manger à la cuillère

- **Brandade :** mélange poisson - pomme de terre
- **Caviar (d'aubergine) :** marmelade salée
- **Compote :** fruits cuits mixés
- **Crumble :** grains de pâte croquante sur compote de fruits
- **Flan :** préparation à base de laitages et d'œuf
- **Fondue (de tomate) :** fine marmelade salée
- **Gnocchi :** pâte de fromage
- **Granité :** sirop léger, mis au congélateur, puis gratté en grains à la fourchette
- **Gratin :** préparation passée au grill pour dorer (et cuire, éventuellement)
- **Marmelade :** compote peu mixée, contenant des morceaux
- **Mousse :** consistance homogène et aérienne
- **Potage :** légumes cuits et non passés
- **Purée :** légume(s) cuit(s) et mixé(s)
- **Quenelle :** mousseline de poisson
- **Tartare :** poisson ou viande haché(e) cru(e) avec condiments
- **Yaourt-shake :** version « yaourt » du milk-shake

… à manger à la fourchette

- **Carpaccio :** pièce taillée très fin, marinée et cuite par la marinade
- **Craquelin :** préparation moelleuse à l'intérieur, croustillante à l'extérieur

Les bons mots en cuisine :

- **À l'anglaise :** mettre un aliment dans une casserole d'eau bouillante, puis l'en retirer
- **Blanchir :** mettre un aliment dans une casserole d'eau froide jusqu'à ébullition, puis l'en retirer
- **Brunoise :** présentation en tout petits dés
- **Ciseler :** « émincer » ou « tailler » très fin, au couteau ou aux ciseaux, des herbes, de l'échalote, de l'oignon
- **Clarifier un oeuf :** séparer le blanc du jaune
- **Concasser :** couper en morceaux irréguliers (= hacher fin)
- **Détendre :** ajouter un peu de liquide dans une préparation jugée trop ferme
- **Émincer :** couper en tranches très fines au couteau
- **Équeuter :** enlever les queues ou les tiges (d'un légume, d'un fruit)
- **Farce :** toute préparation salée hachée
- **Julienne :** présentation d'aliments taillés en filaments (carottes râpées)
- **Monder :** pour retirer plus facilement la peau d'une tomate, la plonger 30 secondes dans de l'eau bouillante puis dans de l'eau froide
- **Mouiller :** ajouter du liquide à hauteur (à ras) des aliments
- **Pocher :** cuire dans un liquide chaud
- **Réserver :** mettre en attente
- **Suer :** cuire un aliment quelques secondes, sans coloration, dans du beurre ou de l'huile en remuant
- **Tailler :** couper en morceaux au couteau, selon une technique (en julienne, ou en brunoise)

LES USTENSILES
du papa-chef

- Assiette creuse • Assiette plate • Bac (bassine) • Bol (ou tasse)
- Casseroles (petite et moyenne) • Chinois • Ciseaux • Coupelle transparente
- Cuillère en bois • Cuillère à café • Cuillère à soupe
- Cuillère « à pomme parisienne » • Dénoyauteur • Économe • Écumoire
- Emporte-pièces cannelé (dentelé) • Feuille et moules en silicone
- Ficelle de cuisine • Film étirable • Fouet • Fourchette • Mandoline
- Papier absorbant • Papier cellophane • Papier sulfurisé • Passoire
- Petit couteau pointu (dit couteau « d'office ») • Petit couteau à lame souple
- Pinceau • Piques à olive en bois • Planche à découper
- Planche à pâtisserie • Plaque du four • Plat à gratin (ou plat à rebord)
- Pochon (petite louche) • Poêle anti-adhésive • Poêle à blinis
- Pots et coffrets à couvercle pour conservation au congélateur • Ramequin
- Râpe à fromage • Saladiers (petit et moyen)
- Tissu (petit morceau d'étamine, de lin ou de jute) • Verre

Et puis aussi :
- Panier à vapeur… • Spatule en plastique… • … et mixeur Baby Cook !
- Plus tablier, torchons, gants (en latex) pour le cuisinier ou la cuisinière

Le couvert de Bébé
- Assiette à soupe (et son support) • Assiette plate
- Asssiette à dessert et/ou coupelle • Tasse d'apprentissage à bec et couvercle
- Verre en plastique • Coquetier • Cuillère et fourchette ergonomiques,
  non-conducteurs de chaleur, et sans goût particulier
- … et le biberon jusqu'à ce qu'il n'en veuille plus !

- Bavoir à poche et/ou à manches • … et chaise haute ou rehausseur de siège

INDEX
par recettes

Recettes Repas

Ainsi fond, fond, fond les artichauts   31
Artichaut feuille à feuille   90
Asperges vertes en fin velouté   78
Bar au fenouil   126
Blettes à la crème en gratin   140
Bœuf Strogonoff   124
Caponata - œuf mollet   80
Caviar d'aubergine   68
Chou-fleur dans tous ses états   104
Coquilles Saint-Jacques en tartare   122
Courgette écrasée à la fourchette   48
Craquelins de veau aux petits Paris   130
Crème d'épinards   107
Crème de volaille   54
Crème vichyssoise   47
Dinde en beurrée de choux   134
Faisselle aux herbes   58
Flan de courgette   88
Fondue de tomate à notre façon   69
Gaspacho andalou   86
Gnocchi à la ricotta   136
Gratin de potiron au jambon   135
Kefta d'agneau   118
Lait de rougette   26
Mousse d'avocat et crevettes   56
Nids de tagliatelles, épinards, mozzarella 64
Nuage et plumes d'endive   108
Œuf à la coque et pois gourmands   84
Œuf de caille à la basquaise   82
Pasta jambon blanc, comté, jus de rôti   60
Pasta sauce au pistou   63
Pasta tomate et chèvre   62

Pétales de cabillaud et miettes de brocoli 50
Petit blanc de volaille fermière et brocoli 52
Petit couscous de légumes   116
Petit pavé de bœuf et pommes coin de rue 110
Pomme de terre écrasée montée à l'huile   44
Potage Parmentier   46
Purée de betterave   34
Purée de céleri et dés de jambon à l'os   102
Purée de haricots verts au serpolet   76
Purée de légumes de printemps   93
Purée de légumes d'été   94
Purée de légumes d'automne   95
Purée de légumes d'hiver   96
Purée de petits Paris   55
Purée de petits pois et leurs cosses   74
Purée de pois chiches au romarin   51
Quenelles de poisson blanc, sauce champignons 128
Rouelles de sole aux épinards   138
Roulé-boulé de viande à la suédoise   114
Saumon au vert de blettes façon brandade 142
Socca niçoise   132
Soupe de carottes   30
Soupe de cocos   103
Soupe et billes de melon   72
Special Pytt-i-Panna   112
Tomate sur tomate   70
Velouté de cresson   28
Velouté de févettes   106
Velouté de lentilles et jambon séché   100
Velouté de potiron   32
Velouté de printemps   77

Recettes Desserts et goûters

Clafoutis aux cerises   172
Compote banane-fraise   39
Compote de coing   164
Compote de pêches à la vanille   165
Compote pêches-poire   38
Compote poire-fraises   40
Compote pommes-cannelle   41
Cookies au chocolat   168
Crêpes de la Chandeleur   174
Crumble fraises-rhubarbe   158
Douceur de banane au miel   154
Fromage blanc aux noix   160
Granité de cerises   155
Granité de pastèque   156
Langues de chat   152
Madeleines   162
Mangue en hérisson et marmelade   170
Pancakes à la fleur d'oranger   176
Petits gâteaux suédois à la cannelle   166
Yaourt-shake banane-fraise   148
Yaourt-shake cassis   150
Yaourt-shake figue-miel   151
Yaourt-shake fraise-kiwi   149
Yaourt-shake framboise   150

NOTES

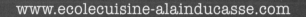

Numéro vert Béaba : 0 800 32 39 76 / www.beaba.com

Remerciements de l'éditeur à

Christophe Bougouin et Marie Claveau de la société Béaba, qui nous ont accompagnés avec enthousiasme dans la création de ce livre de recettes d'un papa-chef pour toutes les mamans Babycook !

Merci à David Rathgeber d'avoir eu l'idée de ce livre pour Alphonse et Charlotte et d'avoir adapté ses recettes de chef pour les « graines de gourmets »…

Merci à Louis, Eva, Arsène et Arthur d'avoir prêté leur bonne humeur et leur frimousse mais aussi à Juliette T. pour avoir ouvert avec beaucoup de gentillesse sa jolie cuisine…

Merci au talentueux tandem Virginie Michelin et Françoise Nicol pour avoir su imaginer et créer un univers ludique et gourmand de mise en scène des recettes de David.

Un remerciement spécial à Jo Greeno pour tiny petit ours (page 177)

Merci à Anne pour ses créations graphiques et ses trouvailles !

Merci à Laurence qui a su, avec talent, collecter et rendre accessibles les recettes du papa-chef, et donner quelques bons repères aux jeunes parents pour favoriser la croissance et l'éveil du goût de leurs petits.

Merci à Clémence d'avoir recueilli les éléments, fait ses marchés pour réaliser les premiers essais, avec un dynamisme communicatif.

Et merci à Paule Neyrat pour ses précieux et précis conseils de diététicienne.

Remerciements de Virginie Michelin :

Merci à Hélène, mon éditeur, pour la liberté qu'elle m'a offerte, David pour sa confiance, Françoise pour ses belles images et nos moments de régressions inoubliables ! Arthur Charles et Louis, mes enfants, pour leurs encouragements.

Merci aux boutiques qui ont gracieusement mis à ma disposition fonds, vaisselle et objets pour la réalisation de ce livre

Peintures RESSOURCE : S47 rose - Syracuse bleu - Sc271 vert

LILLI BULLE : 3 rue de la Forge royale - 75011 Paris - www.lillibulle.com

LA CHARRUE ET LES ETOILES : 19 rue des Francs Bourgeois - 75004 Paris

POTIRON - www.potiron.com

CONRAN SHOP - 117 rue du Bac - 75007 Paris - www.conranshop.fr

Direction de collection : Hélène Picaud et Emmanuel Jirou-Najou
Secrétariat de rédaction : Isabelle Cappelli
Suivi d'édition : Alice Gouget
Photographies : Françoise Nicol
Stylisme Culinaire : Virginie Michelin
Création graphique et réalisation PAO : Anne Chaponnay
© 1ec-édition - les Éditions Culinaires

ISBN : 9782841233526
Imprimé en CE
Dépôt légal : 2nd trimestre 2011